Y MELANAI

EFA

Gyda diolch i Llinos, fy chwaer,
sy'n mwynhau llyfrau ffantasi bron cymaint â fi.

A diolch i Mam, am fod yn fam i ni.

EFA

Bethan Gwanas

Gyda diolch i Rhian Davies o Ysgol y Preseli,
Osian Higham o Ysgol Bro Edern, Ceris James o Ysgol Bro Myrddin
ac Esyllt Maelor am eu sylwadau gwerthfawr.

Argraffiad cyntaf: 2017
© Hawlfraint Bethan Gwanas a'r Lolfa Cyf., 2017

Cynllun y clawr: Sion Ilar
Llun yr awdur: Iolo Penri

Rhif Llyfr Rhyngwladol: 978 1 78461 502 4

Dymuna'r cyhoeddwyr gydnabod cymorth ariannol
Adran Addysg a Sgiliau (AdaS) Llywodraeth Cymru.

Cyhoeddwyd ac argraffwyd yng Nghymru
ar bapur o goedwigoedd cynaliadwy gan
Y Lolfa Cyf., Talybont, Ceredigion SY24 5HE
e-bost ylolfa@ylolfa.com
gwefan www.ylolfa.com
ffôn 01970 832 304
ffacs 01970 832 782

'Mae'r mab yn fab nes bydd yn priodi.
Mae'r ferch yn ferch nes bydd hi'n trengi.'
Dihareb Wyddelig

'Life began with waking up
and loving my mother's face.'
George Eliot

'Fel y fam y bydd y ferch.'
Eseciel 16: 44, Y Beibl

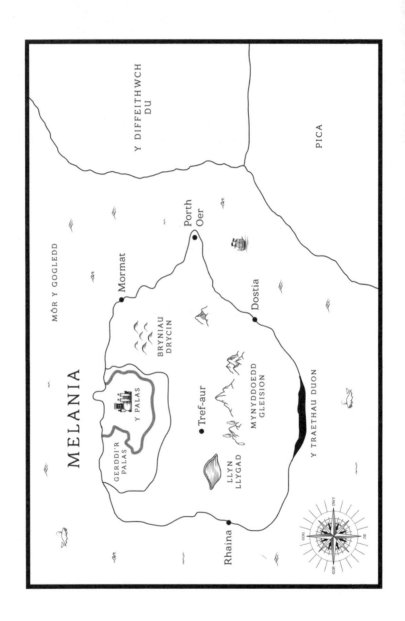

MELANIA

MÔR Y GOGLEDD

Y DIFFEITHWCH
DU

PICA

Mormat

Porth
Oer

Dostia

BRYNIAU
DRYCIN

Y PALAS

Tref-aur

GERDDI'R
PALAS

MYNYDDOEDD
GLEISION

LLYN
LLYGAD

Y TRAETHAU DUON

Rhaina

Y prif gymeriadau

Efa
Tywysoges, 15 oed

Y Frenhines
Mam Efa, brenhines Melania

Morda
Arweinydd y Meistri

Galena
Cogydd yn y palas, 16 oed

Cara
Tiwtor Efa, 17 oed

Bilen
Gofalu am wallt, colur a dillad Efa, 16 oed

Dalian
Prif Hyfforddwr Gwarchodwyr y Palas, 20 oed

Prad
Milwr ac un o warchodwyr Efa, 17 oed

Prolog

O FLAEN Y *dorf o filoedd, mae'r fam yn wynebu'r ferch am y tro olaf. Maen nhw mor ofnadwy o debyg: yr un taldra, yr un gwallt du a melyn, yr un osgo. Maen nhw'n debycach i ddwy chwaer.*

Mae'r fam yn edrych mor wahanol i'r arfer, wedi ei gwisgo mewn gŵn gwyn, syml sy'n dangos ei thraed a'i fferau noeth. Ond mae hi'n sefyll yn urddasol a chefnsyth fel erioed, a'i choron yn dal ar ei phen – am y tro.

Mae'r ferch mewn gwisg hir, drawiadol o aur a du, a'i chlogyn yn disgleirio bob cam o'r goler uchel at y bwtsias duon ar ei thraed. Mae un o'r Meistri yn sefyll y tu ôl iddi, yn dal clustog coch â chyllell finiog yn gorwedd arno.

Mae lleisiau'r côr a fu'n canu ers y dechrau yn codi'n uwch ac yn atseinio dros furiau'r palas. Mae'r diwn yn hypnotig, yn codi croen gŵydd.

Mae'r fam yn codi ei breichiau yn araf ac yn tynnu ei choron oddi ar ei phen. Mae'n dal y goron o'i blaen, gan edrych i fyw llygaid y ferch. Mae'n datgan mewn llais cryf, llawn hyder:

'Rhoddaf i ti fy nghoron, fy ngwlad a fy mywyd.'

Mae'r ferch yn datgan mewn llais sydd ddim eto wedi arfer cael ei glywed gan y miloedd:

'Derbyniaf dy goron.'

Mae'r fam yn camu ymlaen a'r ferch yn penlinio o'i blaen. Mae'r fam yn rhoi'r goron ar ben y ferch, ac yna'n dal ei dwylo allan i gynorthwyo'r ferch ar ei thraed. Does dim angen cymorth ar y ferch i godi; y symboliaeth sy'n bwysig. Mae'r ferch a'r fam yn parhau i gyffwrdd dwylo am rai eiliadau cyn i'r fam gamu'n ôl. Mae'r ferch yn teimlo'r goron yn drwm ar ei phen, ond mae'n gweddu'n berffaith iddi. Mae hi wedi ei geni, ei magu i wisgo'r goron hon. Mae'n tynnu anadl ddofn.

'Derbyniaf dy wlad, gan ddiolch i ti am y gwasanaeth ffyddlon a roddaist iddi,' meddai mewn llais cryf.

Mae'r Meistr yn camu ymlaen gyda'r clustog coch a'r gyllell, ac mae'r ferch yn troi ato. Mae'n syllu ar y gyllell, ar y gemau rhuddem coch sy'n addurno'r carn. Mae'n gyllell hardd, hynafol. Dyma'r gyllell sydd wedi ei defnyddio yn y seremoni hon ers cyn cof.

Mae'r ferch yn cydio ynddi yn araf ac yn ei dal i fyny o'i blaen fel croes, fel bod y gemau'n fflachio yng ngolau'r lleuad lawn. Mae'r miloedd yn dal eu hanadl.

'Ac yn awr,' meddai'r ferch mewn llais clir sy'n canu dros y cerrig, yn llifo dros y muriau i'r coed a'r afonydd, 'derbyniaf dy fywyd.'

"Hir oes i Felania!" cana'r côr.

"Hir oes i Felania!" cana'r miloedd, ac mae'r fam a'r ferch yn teimlo'r geiriau yn crynu drwy'r ddaear ac i fyny i'w cyrff drwy sodlau eu traed. Mae sŵn y côr yn codi a chodi eto fel ton ar ôl ton, yn uwch ac yn uwch. Mae'r nodau'n ysu, yn mynnu. Mae'r drymiau'n curo'n rhythmig dawel, yn dal yn ôl, yn aros, aros eu tro.

Mae gweithwyr mewn gwisgoedd aur yn ymddangos i hebrwng y fam at y Maen Coch. Mae hi'n cerdded tuag ato â'i gên yn uchel, ei hysgwyddau yn ôl. Mae'n troi ei chefn at y maen ac yn dal ei breichiau i fyny er mwyn i'r gweithwyr gael eu clymu, fel ei choesau, drwy'r tyllau yn y maen. Does neb yn disgwyl iddi geisio dianc na phrotestio ar y funud olaf ond mae'n well osgoi unrhyw symud anffodus ar yr eiliad dyngedfennol, rhag i'r gyllell fethu'r man priodol ac achosi marwolaeth hirach a mwy poenus nag arfer. Mae defnydd ei gŵn gwyn yn cael ei dynnu'n barchus, ofalus i'r ochr fel nad yw'n gorchuddio lleoliad ei chalon. Mae'r fam yn teimlo'i chalon yn curo'n uwch na'r drymiau.

Mae'r gweithwyr yn camu'n ôl, ac mae'r drymiau'n curo'n uwch ac yn gyflymach.

Mae'r fam yn gaeth i'r Maen Coch a dim ond y rhai agosaf ati all weld bod ei hanadlu wedi cyflymu, ei chorff yn crynu, ei dannedd yn brathu ei gwefus isaf, yn tynnu gwaed, a bod canhwyllau ei llygaid yn fawr a thywyll wrth weld y ferch yn camu'n araf, urddasol tuag ati.

Mae'r dorf yn canu i rythm y drymiau: 'Me-la-ni-a. Me-la-ni-a. Me-la-ni-a.'

Mae'r ferch yn codi'r gyllell yn yr awyr gyda'i dwy law, ac yn oedi.

'Me-la-ni-a. Me-la-ni-a. Me-la-ni-a!'

Mae'r fam yn edrych i fyw llygaid ei merch ac yn sibrwd: 'Gwna fo – rŵan!'

'Me-la-ni-a! Me-la-ni-a! Me-la-ni-a!'

Mae dagrau'n cronni yn llygaid y ferch ac mae ei dwylo'n crynu.

Mae'r côr wedi newid ei sain; mae'r nodau swynol wedi troi'n un nodyn hir, main sy'n trywanu'r glust, sy'n berwi'r gwaed, ac mae'r drymiau'n fyddarol. Maen nhw'n mynnu, yn gorfodi. Mae'r ferch yn hoelio ei llygaid ar ochr dde calon y fam. Mae'n tynnu anadl ddofn a chyda sgrech o boen yn plannu'r gyllell yng nghalon y fam, ac wrth syllu i'w llygaid mae'n tynnu'r gyllell allan o'i chnawd, i'r gwaed gael llifo'n rhydd. Roedd yr annel yn berffaith.

Mae'r fam yn gelain o fewn eiliadau.

1

GWYLIODD EFA'R PILIPALA yn glanio'n dlws ar flodyn oedd hyd yn oed yn dlysach. Oedd, roedd o'n bilipala hardd iawn, yr harddaf iddi ei weld erioed, mae'n siŵr, ac roedd hi wedi gweld miloedd ar filoedd o bilipalod rhyfeddol o dlws dros y blynyddoedd. Roedd hi bron yn un ar bymtheg oed rŵan, felly rhyw ugain... na, tri deg pilipala rhyfeddol bob diwrnod ar gyfartaledd; dyna i ni 30×365 diwrnod = 10,950 pilipala bob blwyddyn. Roedd hi bellach wedi gweld cyfanswm o 175,200 pilipala rhyfeddol.

'Helô, pilipala rhif 175,201,' meddai'n uchel. 'Be wyt ti'n feddwl o 'ngallu mathemategol i, y?'

Ond chafodd hi ddim ateb, wrth gwrs. Pilipala oedd o. Ochneidiodd yn uchel.

'Mae'r lle 'ma'n ddiflaaaaas!' meddai. 'Mae 'mywyd i'n ddiflas! Mae pob dim yn hollol, gwbl ddiflas!'

Dychrynodd y pilipala a chodi i'r awyr gan fflapian ei adenydd coch, pinc a phiws yn ei ffordd arferol, hyfryd o urddasol.

'Stwffio ti 'ta,' meddai Efa, gan ei ddilyn gyda'i llygaid duon.

Daeth aderyn glas o nunlle mor gyflym, doedd gan y pilipala ddim siawns o fath yn y byd. Gwasgodd yr aderyn ei big melyn am gorff y pryfyn a saethu i ffwrdd gan edrych fel petai ei big wedi tyfu adenydd coch, pinc a phiws.

'O wel, ta ta, pilipala rhif 175,201,' meddai Efa, oedd wedi dysgu ers tro bod natur yn gallu bod yn greulon, hyd yn oed yng ngardd hyfryd y palas.

Rhowliodd ei llygaid. Roedd hi'n adnabod pob cornel, pob deilen o'r ardd; yn gwybod yn iawn ble roedd pob nyth, yn adnabod siâp pob coeden a chân pob aderyn.

'Ac mae'r cwbl mor ddiflas,' ochneidiodd Efa.

'Be sy'n ddiflas rŵan eto?' gofynnodd llais y tu ôl iddi: ei chyfaill a'i chogydd, Galena.

Cerddodd Galena tuag ati gyda'r gwydraid dyddiol, arferol o neithdar ffres. Estynnodd y gwydryn i Efa gyda gwên. Cymerodd Efa'r gwydryn a rhowlio ei llygaid eto.

'Hyn!' meddai. 'Mae pob peth yn union yr un fath bob dydd ers pan fedra i gofio – yr ardd 'ma, y palas, y gwersi; gwydraid o neithdar peth cynta bob bore a'r peth ola bob nos —'

'O, rho'r gorau i dy gwyno!' meddai Galena. 'Mae 'na rai yma ym Melania na chawn nhw byth ardd iddyn nhw'u hunain, heb sôn am gael byw mewn palas! Rwyt ti'n cael y gwersi gorau gan y tiwtoriaid gorau, ac mi fyddai pawb arall yn y wlad 'ma yn rhoi'r byd am gael gwydraid o neithdar brenhinol bob bore a nos! Dŵr a chydig o fedd neu win ydy'r mwya gawn nhw, a sbia cymaint o les mae'r holl neithdar yn ei neud i ti!'

Allai Efa ddim gwadu hynny. Roedd hi'n dalach nag unrhyw ferch o'i hoed hi, gyda choesau a breichiau hirion, perffaith, gwddf gosgeiddig, bron fel un alarch, gwallt oedd yn disgyn yn donnau sgleiniog, iach i lawr ei chefn, a chroen llyfn fel afal.

'Ia, wel,' meddai'n bwdlyd, 'dydy byw mewn palas ddim yn fêl i gyd, ac mi fyddai'n well gen i fod yn dwmplen fach gron fel ti, ac efo plorod fel Cara, na bod yn gaeth i'r lle 'ma ar hyd fy oes.'

Cododd Galena ei haeliau arni.

'"Twmplen fach gron"? Wel, diolch yn fawr am hynna,' meddai. 'A dwi'n siŵr y byddai Cara yn falch iawn dy fod ti'n genfigennus o'i phlorod hi.'

'Do'n i ddim yn ei feddwl o fel'na,' meddai Efa.

'Na, dwyt ti byth,' meddai Galena. 'Lwcus 'mod i wedi hen arfer efo dy ffordd di o agor dy geg cyn meddwl be sy'n mynd i ddod allan ohoni. Ond nid pawb sydd wedi cael eu magu fel ti, ac mi fydd yn rhaid i ti wella dy sgiliau diplomyddol cyn cael dy neud yn frenhines.'

'O, paid â'n atgoffa i, bendith mam! Mae'r peth fel maen am fy ngwddw i.'

'Hen bryd i ti ddod i arfer, tydy?' chwarddodd Galena. 'Dim ond chydig fisoedd sydd gen ti ar ôl! Ac wedyn – ta-daaa! Ti fydd brenhines newydd Melania!'

'Dwi'n falch bod rhywun yn edrych ymlaen, achos tydw i ddim,' meddai Efa.

'Man gwyn man draw, myn diain i,' meddai Galena. 'Mae 'na bobol yn mynd i ryfel i gael pŵer fel yna!'

'Ond dwi'm isio pŵer fel'na...'

'Hisht! Paid â siarad mor wirion. Wrth gwrs dy fod ti.

A does gen ti ddim rheswm i gwyno ar dy fyd – mae gen ti bob dim! Rwyt ti'n cael gwisgo'r dillad gorau a drutaf yn y deyrnas; mae 'na weision a morynion a chogyddion fel fi yn gweini arnat ti ddydd a nos, a dyma ti – yn cwyno! Callia ac yfa dy neithdar, wnei di?'

'Dwi'n siŵr nad ydy morwyn i fod i siarad fel'na efo brenhines,' meddai Efa gyda gwên.

'Llai o'r "morwyn"! Dwi'n gogydd swyddogol rŵan. A dwyt ti ddim yn frenhines eto, nag wyt? A dwyt ti'n bendant ddim yn ymddwyn fel un. Ro'n i'n meddwl bod dy fam i fod i dy ddysgu di am bethau fel ymddygiad brenhinol?'

'Ydy. I fod. Ond dwi byth yn ei gweld hi y dyddiau yma, nac'dw? Mae hi mor ofnadwy o brysur drwy'r amser.'

'Does ganddi ddim llawer o amser ar ôl i neud bob dim, nag oes, chwarae teg. Rŵan, yfa'r neithdar 'na cyn i mi eistedd arnat ti a'i dywallt i lawr dy gorn gwddw di!'

Chwarddodd Efa. Roedd hi wrth ei bodd yng nghwmni Galena, oedd wedi bod yn fwy o ffrind na morwyn iddi erioed, ers i'r ddwy gael eu geni o fewn deufis i'w gilydd a chael eu magu yn y palas. Roedd mam Galena angen canolbwyntio ar ei gwaith fel cogydd a mam Efa angen canolbwyntio ar fod yn frenhines, ac roedd gadael i'r ddwy fach chwarae gyda'i gilydd yn gyfleus i bawb.

'Pam na wnei *di* gymryd sip bach ohono fo, os ydy o'n gneud cymaint o les?' meddai Efa gyda gwên ddrwg.

'Cha' i ddim, ti'n gwybod hynny'n iawn.'

'Ond ddeuda i ddim gair wrth neb. A phwy a ŵyr, efallai y tyfith y coesau bach tewion 'na ryw fymryn wedyn...'

'Ha! Fiw i mi!'

'Ond ti jyst â marw isio'i flasu o, dwyt? A deud y gwir, mi fyddai'n syniad i ti ei flasu o cyn fi bob tro, rhag ofn bod rhywun wedi'i wenwyno fo…'

'A phwy fyddai isio dy wenwyno di, Efa?'

'Rhai o fy chwiorydd bach i?'

'O, callia, wnei di!'

'Wel, efallai fod un ohonyn nhw'n meddwl y byddai'n gwneud gwell brenhines na fi?'

'Dwi'n amau'n fawr. Mae pawb yn gwybod mai ti sydd wedi cael dy fagu i arwain. O ddifri, pwy fyddai isio dy wenwyno di?'

'Rhai o elynion y Melanai, yndê… fel y Picyniaid. Maen nhw'n trio'n difa ni ers milenia, a fyddai o ddim y tro cynta iddyn nhw fedru cael ysbïwr i mewn yma. Felly mi ddylet ti, fel un o fy nghyfeillion gorau i erioed, flasu'r neithdar 'ma i mi.'

Astudiodd Galena lygaid duon ei chyfaill ac yna'r gwydraid o neithdar lliw aur. Roedd hi'n cael ei themtio; yn cael ei themtio ganddo bob dydd, a dweud y gwir. Llyfodd ei gwefus.

'Iawn, ty'd â fo yma 'ta, jyst rhag ofn.'

'Ia. Rhag ofn. Ond eto, rhag ofn… pa gân wyt ti am i ni ei chanu yn dy angladd di?'

Chwarddodd Galena.

'Be am yr hen ffefryn "Fe wnaf yr aberth eithaf"?'

'Ha! Addas iawn. Iawn, mi ofala i y byddwn ni gyd yn ei chanu hi nerth ein pennau. Rŵan, blasa'r neithdar 'na!'

Cododd Galena'r gwydryn at ei gwefusau. Yfodd lond ceg yn araf, â'i llygaid ar gau i gael canolbwyntio'n llwyr ar y blas. Yna gostyngodd y gwydryn gan wenu â phleser.

'Blasus?' meddai Efa.

'Blasus iawn,' meddai Galena, gan roi'r gwydryn yn ôl i Efa. 'Blasus iawn, iawn, iawn! A deud y gwir —' Oedodd Galena ar ganol y frawddeg, a chodi ei llaw at ei cheg.

'Be sy?' meddai Efa.

Ond allai Galena mo'i hateb. Roedd ei llygaid yn fawr ac yn llawn ofn, a'i gwefusau'n crynu. Yna, roedd hi'n cyfogi, ac yn gwingo mewn poen.

'Galena?'

Syrthiodd Galena i'r llawr gan riddfan, a dechreuodd ei chorff neidio a chicio fel pe bai anifail gwyllt yn ceisio brwydro'i ffordd allan ohoni. Roedd ei hwyneb wedi troi'n fflamgoch a'i llygaid yn rhowlio yn ei phen, ac roedd y sŵn oedd yn dod o'i cheg yn erchyll, fel petai hi'n tagu i farwolaeth.

'Galena!' Neidiodd Efa ati gan geisio'i hatal rhag taro'i phen ar gerrig gwynion y llwybr. 'Help!' gwaeddodd. 'Rhywun! Helpwch fi! Yn yr ardd! Mae Galena yn—'

'Diolch am boeni amdana i...'

Allai Efa ddim credu'r peth. Roedd y ferch bellach yn gwbl lonydd, yn edrych yn berffaith iach ac yn gwenu'n ddel arni.

'Galena!'

'Dim ond tynnu dy goes di,' meddai Galena, gan godi ar ei heistedd. 'Mi fyddi di'n falch o glywed bod y neithdar 'na'n berffaith ddiogel i'w yfed.'

Trodd llygaid y ddwy i edrych ar y gwydryn gwag ar y gwair.

'Wps,' meddai Galena. 'Sori.'

Eisteddodd Efa ar y llawr wrth ymyl ei 'chyfaill' a rhoi pwniad iddi yn ei braich.

'Aw!'

'Roeddet ti'n haeddu honna, y jaden.'

'Am fod cystal actores?'

'Ia. Ar y llwyfan ddylet ti fod.'

'Cytuno. Ond ges i 'ngeni i weini arnat ti, yn do, a dyna fo. 'Dan ni i gyd yn gorfod derbyn ein tynged yn y lle 'ma, Efa.'

Ciledrychodd Efa arni a rhoi hanner gwên iddi.

'Hei! Be oedd y gweiddi 'na?' meddai llais dwfn y tu ôl iddyn nhw. 'Dach chi'n iawn? Pam dach chi'n gorwedd ar lawr?'

'Helô, Dalian,' meddai Efa. 'Dim ond sbio ar yr ardd o ongl wahanol oedden ni, yndê, Galena?'

'Ia. Esgus bod yn forgrugyn o'n i. W! Dwi'n gallu gweld reit i fyny dy drwyn di o fan'ma...' meddai Galena wrth y llanc ifanc cyhyrog oedd yn gwisgo lifrai Gwarchodwr y Palas.

'Callia,' meddai hwnnw, cyn troi at Efa. 'Pam oeddet ti'n gweiddi fel tase rhywun ar farw?'

'Actio oedden ni. I weld pa mor gyflym fyddai rhywun yn dod i'n hachub ni. A doeddet ti ddim yn gyflym iawn, nag oeddet?'

'Galw dy hun yn Warchodwr...' meddai Galena, gan ysgwyd ei phen yn drist. 'Mi fydd rhaid i ti siapio dy stwmps os wyt ti am fod yn un o Warchodwyr y frenhines newydd.'

Oedodd Dalian. Weithiau, roedd hi bron yn amhosib dyfalu pryd roedd y ddwy yma o ddifri. Ond sylwodd fod ochr ceg Efa yn crynu.

'Dach chi'ch dwy yn boen!' meddai'n flin. 'Tynnu arna i yn dragwyddol! Mi fydd raid i ti roi'r gorau i ryw hen lol wirion fel hyn wedi i ti gael dy goroni, Efa!'

'Wwww! Wedi cysgu'n gam neithiwr, do, Dalian?' chwarddodd Efa.

'O, cau hi!'

'Hm. Dwi wir ddim yn meddwl dy fod ti i fod i ddeud wrth ddarpar-frenhines i'w chau hi...' meddai llais hynod gyfarwydd y tu ôl i'r tri.

Rhewodd pawb. Yna neidiodd Galena ar ei thraed a gostyngodd Dalian a hithau eu pennau. Aros yn llonydd wnaeth Efa.

'Mae... mae'n ddrwg iawn gen i, eich Mawrhydi —' dechreuodd Dalian, ond chwifiodd Brenhines Melania ei llaw i ddangos nad oedd angen iddo ddal ati i egluro nac ymddiheuro.

'Twt,' meddai. 'Dwi'n difaru na fyddai rhywun wedi dysgu Efa i'w chau hi pan oedd hi'n llawer iawn iau. Roedd hi'n hen bryd i rywun drio ei rhoi hi yn ei lle. Cwyd, Efa, rwyt ti'n rhy hen i chwarae plant.'

Ufuddhaodd Efa yn fud, a chan osgoi llygaid y ddau arall, dilynodd ei mam yn ôl i fyny'r llwybr at y palas.

Edrychodd Galena a Dalian ar ei gilydd.

'Oes raid iddi drin Efa fel plentyn o flaen pawb?' meddai Galena.

'Wel,' meddai Dalian, 'mae'n ei gneud hi'n haws i Efa ei lladd hi pan ddaw'r amser, tydy?'

2

MERCHED OEDD WEDI rheoli gwlad Melania erioed. Y
drefn oedd bod brenhines newydd yn cael ei choroni
mewn seremoni fawr ar ei phen-blwydd yn un ar bymtheg
oed, a rhan o'r seremoni honno oedd ei bod yn gorfod lladd
yr hen frenhines – ei mam. Roedd mam Efa wedi gorfod lladd
nain Efa, a nain Efa wedi gorfod lladd ei mam hithau ac yn y
blaen; dyna fu'r drefn ers milenia.

Golygai hyn bod y Frenhines wastad yn ifanc, yn llawn
egni yn feddyliol ac yn gorfforol a bod ei gallu i genhedlu ar ei
orau. Byddai cadw brenhines ar yr orsedd nes ei bod yn mynd
yn hen, yn ffwndrus ac yn hesb yn fêl ar fysedd gelynion y
wlad.

Roedd mam Efa bron yn bedwar deg erbyn hyn, ac er ei
bod yn dal i fod yn drawiadol o brydferth ac urddasol, roedd
y croen o gwmpas ei llygaid duon wedi dechrau crebachu
fymryn; roedd y darnau duon o'r gwallt hir du a melyn oedd
yn llifo i lawr cefnau pob un brenhines wedi dechrau britho,
doedd ei dannedd ddim mor wyn ag y buon nhw, ac yn sicr,
roedd ganddi lai o amynedd. Doedd dod â chymaint o blant
i'r byd ddim wedi bod yn garedig iddi chwaith. O dan ei
bodis lledr du, roedd croen ei bol yn llac ac yn llawn creithiau
arian.

Roedd gan Efa, ar y llaw arall, groen llyfn, perffaith ac roedd ei gwallt yn llachar ddu, fel adenydd brân, ac yn tywynnu'n felyn fel petalau cennin Pedr yn yr haul; disgleiriai ei dannedd perffaith bob tro y byddai'n gwenu ac roedd ganddi hen ddigon o egni – llawer gormod, os rhywbeth.

Yn gorfforol, roedd Efa yn barod i fod yn frenhines.

'Ond dydy hi ddim yn barod yn feddyliol,' meddai ei mam wrthi hi ei hun wrth wylio Efa yn sefyll yn bwdlyd o flaen yr oriel o gyn-freninesau'r Melanai.

'Dwi'n gwybod dy fod ti'n meddwl ei fod o'n ddiflas, Efa,' meddai wrthi, 'ond mae'n bwysig dy fod ti'n gyfarwydd â'n hanes ni, i ti gael osgoi gwneud unrhyw gamgymeriadau wnaeth dy hynafiaid di, ac i weld pa benderfyniadau oedd y rhai mwya doeth a llwyddiannus yn y gorffennol. Dydy rheoli gwlad ddim yn hawdd.'

'Dwi'n gwybod hynny, Mam!' meddai Efa, gan wasgu ei hewinedd i mewn i gledrau ei dwylo.

'Mi fydd y Picyniaid yn siŵr o dy brofi di'n syth, gwneud rhywbeth dan din fel ymosod ar Felania o fewn wythnosau i ti gael dy goroni, fel y digwyddodd i mi. Mi fydd rhaid i ti fod yn barod amdanyn nhw.'

'Ia, ond mae'n byddin ni'n barod drwy'r adeg, tydy?'

'Ydy, ond *ti* fydd yn gorfod gwneud y penderfyniadau, Efa. A chofia, y ffordd orau i ennill ydy trechu dy elynion cyn gorfod brwydro.'

'Y?'

'O, Efa! Fyddi di'n gwrando o gwbl yn dy wersi efo'r Meistri?'

'Byddaf! Ond dydyn nhw rioed wedi deud sut mae rhywun

i fod i ennill brwydr heb frwydro. Achos… tydy brwydr heb frwydro ddim yn frwydr, nac ydy?'

'Hm…' meddai'r Frenhines, gan astudio osgo ei merch.

Yn ôl ei harfer, roedd Efa yn osgoi edrych arni, ac ar hyn o bryd roedd hi'n esgus astudio llun o Carina y 6ed, ei hen, hen nain, yn sefyll gyda'r Waywffon Aur ar Fynydd y Drych. Roedd Carina yn chwip o ryfelwraig, mae'n debyg, a byth yn methu gyda'i gwaywffon â'i phen o aur. Roedd hi wedi lladd brenin y Picyniaid drwy daflu gwaywffon drwy ei benglog – o wyth deg metr i ffwrdd. Dyna un rheswm pam roedd y Picyniaid yn dal i fynnu rhyfela gyda'r Melanai. Doedden nhw byth wedi maddau.

'Rwyt ti'n debyg iawn iddi,' meddai'r Frenhines wrth ei merch.

'Rydan ni i gyd yn debyg,' meddai Efa, gan gyfeirio at y cannoedd o luniau oedd yn gorchuddio waliau'r oriel. 'Pob un yn dal, a phob un yn ifanc, efo'r un mwng du a melyn. A phob un wedi gorfod lladd ei mam.'

Roedd y tawelwch yn boenus. Gallai'r ddwy glywed Dalian a'i griw o warchodwyr yn ymarfer yn y pellter; llais Dalian yn gweiddi gorchymyn i saethu, ac yna siffrwd cannoedd o waywffyn yn hedfan drwy'r awyr. Gallai'r Frenhines glywed ei chalon ei hun yn curo, a chlywed pob anadliad ei merch yn disgwyl am ei hymateb.

'Dyna sy'n dy boeni di, Efa?' meddai o'r diwedd.

Chwarddodd Efa – dim ond am eiliad – a pharhau i edrych ar y llun o'i hen, hen nain, yn hytrach nag ar y fam oedd yn sefyll hyd braich oddi wrthi.

'O, na, dydy o ddim yn fy mhoeni i o gwbl, siŵr. Eich lladd chi? Cydio mewn cyllell a'i phlannu hi i mewn i'ch calon chi? Na, poeni dim arna i. Mae o mor naturiol â bwyta pan dwi isio bwyd, a gwenu pan dwi'n hapus.'

'Efa...'

'Achos dyna pam ges i 'ngeni, yndê? I'ch lladd chi.'

'Yli, dwi'n deall —'

'Dyna pam dwi wedi cael fy magu ar ddim byd ond y gorau, er mwyn bod y gorau – a'r peth cynta dwi i fod i'w neud yn y ffordd orau bosib, ydy lladd fy mam fy hun! Y fam oedd yn deud straeon wrtha i bob nos; yn rhoi cwtsh i mi pan o'n i angen un —'

'Efa... Paid â —'

'A'r cwbwl am 'mod i'n ifanc a chitha ddim. Sbïwch arnach chi – dach chi mor hyll. Mor hen. Yn grimp. Yn dda i ddim... i neb,' meddai Efa gan droi i wynebu ei mam am y tro cyntaf.

Syllodd y ddwy ar ei gilydd, a gwelodd y Frenhines y dagrau roedd hi wedi eu clywed yn cronni yn llais chwerw ei merch. Camodd ati a chydio yn ei dwylo.

'Mi es i drwy'r un emosiynau yn union, Efa. Dwi'n deall. Roedd gorfod lladd Mam yn brofiad erchyll...'

'Felly pam nad ydech chi wedi rhoi stop arno fo?'

'Ar y drefn? Alla i ddim...'

'Chi ydy'r Frenhines, Mam! Pam na wnaethoch chi ddefnyddio'ch pŵer i roi stop ar draddodiad mor hurt?'

'Efa, ti'n gwybod yn iawn —'

'Dydy hi ddim yn rhy hwyr, Mam!' Roedd llais Efa wedi codi'n uwch; roedd hi'n gweiddi bellach. 'Mae 'na'n hen ddigon o amser! Newidiwch y gyfraith – rŵan! Dwi ddim isio. Fedra i ddim…'

Cydiodd y Frenhines ym mreichiau ei merch a'i hysgwyd nes iddi roi'r gorau i'w gweiddi a'i pharablu. Roedd y ddwy cyn daled â'i gilydd bellach, ac yn edrych i fyw llygaid ei gilydd. Anadlodd y Frenhines yn ddwfn cyn dweud yn bwyllog a phendant:

'Docs 'na neb yn mynd i newid y gyfraith – a dwyt titha ddim chwaith pan fyddi di'n frenhines. Fel hyn mae hi wedi bod erioed, fel hyn mae'n byd ni'n gweithio, a pham ddylet ti – ni – fod yn wahanol? Rwyt ti wedi cael dy gyfle i fod yn blentyn, a rŵan rhaid i ti dyfu i fyny a derbyn dy ddyletswydd. A rhaid i minna dy ddysgu di sut i ollwng dy afael ynof fi.'

Ar hynny, camodd y Frenhines yn ei hôl gan ollwng ei gafael ar freichiau ei merch. Oerodd ei llygaid – a'i llais.

'Fy mai i ydy o – mae'n amlwg fy mod i wedi dy ddifetha di,' meddai'n chwerw. 'Mae'n amlwg 'mod i wedi dy fagu di i fod yn berson hunanol, fi-fi-fi, sy'n meddwl dim am les y deyrnas a dy bobol, dim ond am dy emosiynau bach druan dy hun. Wel, mae hynna'n dod i ben rŵan!'

Welodd Efa mohoni'n dod. Chlywodd hi mohoni chwaith, nes i gledr llaw ei mam wneud i gnawd ei hwyneb sgrechian.

Roedd Efa wedi cael ei hanafu droeon yn ystod ei gwersi ymladd; roedd hi wedi cael sawl clais oedd wedi troi'n gybolfa o biws a glas a melyn dros ei chorff i gyd; mi gafodd ddwy lygad ddu y llynedd. Ond chafodd hi erioed glatsien fel yna ar draws ei hwyneb. Clatsien gan ei mam ei hun, a llygaid honno'n oer, oer, yn ddwrn stumog o oer, yn edrych arni fel petai hi'n faw isa'r domen. Wyddai Efa ddim pa un oedd yn brifo fwyaf – y llosgi ar ei boch, neu'r ffieidd-dod ar wyneb ei mam.

'Tyfa i fyny, Efa,' meddai'r Frenhines, gan droi ar ei sawdl a cherdded yn osgeiddig, urddasol allan o'r ystafell, heb edrych yn ei hôl unwaith.

Cododd Efa ei llaw at ei boch. Roedd hi'n dal i allu teimlo siâp llaw ei mam ar ei chnawd, yn llosgi'n waeth nag unrhyw frathiad neu gnoc gan unrhyw gleddyf neu benelin.

'Yr ast...' sibrydodd. 'Yr hen ast.'

Roedd hi'n dal i sefyll yno, yn berwi, â'i llaw ar ei boch, pan glywodd beswch wrth y drws: Cara, ei ffrind a'i thiwtor personol, oedd yno, yn sefyll yn swil â'i gwallt golau yn llen dros hanner ei hwyneb i geisio cuddio'i phlorod.

'Bore da, Efa, ym... wyt ti'n barod am dy wers athroniaeth?'

'Athroniaeth?'

'Ia, ym... mae'n ddydd Mawrth...' meddai Cara fymryn yn ddryslyd, gan ddechrau amau ei hun. Ie, dydd Mawrth oedd hi, yn bendant, a byddai hi ac Efa yn trafod athroniaeth bob dydd Mawrth. Dyna oedd ar yr amserlen. Camodd i mewn i'r ystafell a sylwi ar yr olwg bell yn llygaid ei chyfaill. 'Ym... be sy?'

'Mae Mam newydd roi clusten i mi. Ar draws fy wyneb!'

'Be? Go iawn? Pam? Be wnest ti?'

'Dim byd!' Yna caeodd ei llygaid ac ochneidio. 'Wel, do, mi wnes i ofyn iddi newid y gyfraith, fel 'mod i ddim yn gorfod ei lladd hi.'

'Efa! Rwyt ti'n gwybod yn iawn nad ydy newid cyfraith fel'na yn bosib! Dyna'r rheol sy'n greiddiol i fodolaeth Melania!'

'Wel, gwrthod wnaeth hi, beth bynnag,' meddai Efa, gan ysgwyd ei hun a thaflu ei gwallt yn ei ôl. 'Felly iawn, ar fy mhen-blwydd yn un ar bymtheg mi wna i blannu cyllell yng nghalon yr ast – â phleser.'

Brathodd Cara ei gwefus.

'O, Efa, dwi'n siŵr nad oes angen i ti siarad fel'na.'

'Oes. Dwi'n flin.'

'Rhaid i ti ddysgu rheoli dy deimladau'n well, wsti... os wyt ti isio bod yn frenhines.'

'Aaaaa! Dyna'r peth! Dwi ddim isio bod yn frenhines!' sgrechiodd Efa. 'A gei di stwffio dy wers athroniaeth!'

Rhedodd yn wyllt heibio Cara, ac allan drwy'r drws. Roedd Cara yn dal i sefyll yno mewn sioc, â'i cheg fel un pysgodyn, bum munud yn ddiweddarach pan gyrhaeddodd Galena i weld beth oedd yr holl weiddi.

Ceisiodd Cara egluro beth oedd wedi digwydd.

'Wela i,' meddai Galena ar ôl pendroni. 'Iawn, dwi'n meddwl bod gynnon ni dipyn o waith i'w neud.'

'Oes, a dim digon o amser i'w neud o,' meddai Cara. 'Yn ôl y rheolau, os nad ydy'r ddarpar frenhines yn... "addas" wedi'r cwbl, mi fyddan nhw'n dewis un o'i chwiorydd iau yn ei lle hi, a brysio i ddechrau paratoi honno ar gyfer ei phen-blwydd yn un ar bymtheg. Mae hynny wedi digwydd o'r blaen, yng nghyfnod y Frenhines Marla os cofia i'n —'

'Ia, iawn; mae dy gof di am bethau fel hyn wastad yn

rhyfeddol, ond… be fydd yn digwydd i Efa os nad ydy hi'n "addas"?'

'Mi fyddan nhw'n… wel, ym… yn cael gwared ohoni.'

'Cael gwared? Sut?'

'Wel, yn oes y Frenhines Marla, roedden nhw'n mynd i'w dienyddio hi – wel, ei merch hi… dwi ddim yn cofio ei henw hi rŵan…'

'Dienyddio? Ei lladd hi?'

'Ia, ond dwi'n meddwl eu bod nhw wedi ei halltudio hi yn lle hynny.'

'Na! I'r Diffeithwch Du?'

'Hyd y gwn i.'

'A be ddigwyddodd iddi yn fan'no?'

Cododd Cara ei hysgwyddau. 'Does wybod. Does 'na neb byth yn dod yn ôl o'r Diffeithwch Du.'

Edrychodd y ddwy ar ei gilydd.

'Cara,' meddai Galena, 'mae gynnon ni broblem.'

3

Eistedd ar lan yr afon oedd yn amgylchynu tir y palas roedd Efa. Fan hyn, ar gangen oedd yn pwyso dros y dŵr, oedd ei hoff le i fynd iddo pan fyddai hi angen llonydd. Roedd angen dringo'n ofalus drosti, a chadw cydbwysedd wrth gerdded heb gymorth unrhyw ganghennau eraill i gyrraedd ei 'sedd'. Ond unwaith roedd hi yno, a'i choesau'n siglo uwchben y dŵr, doedd neb yn gallu ei gweld. Gallai hi weld unrhyw un oedd ar y lan, ond allen nhw mo'i gweld hi.

Doedd neb ar y lan heddiw; roedd pawb yn brysur wrth eu dyletswyddau. Roedd hithau i fod yn cael gwers gyda Cara, wedyn gwers ymladd gyda Dalian a'i griw, yna, ar ôl ymolchi, sesiwn o dylino ac yna drin ei gwallt gyda Bilen, ond wfft i hynny. Roedd hi'n dal i ferwi. Sut gallai ei mam, a fu'n fam mor annwyl a charedig erioed, droi dros nos i'w chasáu hi gymaint? A hithau wedi agor ei chalon iddi am ei theimladau tuag ati, wedi ei wneud mor amlwg ei bod hi'n ei charu ormod i'w lladd hi?

Syllodd i'r dŵr dwfn oddi tani. Doedd y llif ddim yn gryf fan hyn; roedd yn bwll delfrydol i nofio ynddo, a chwaraeodd â'r syniad o adael i'w chorff lithro i mewn iddo. Gallai weld y gwaelod yn glir, roedd y dŵr mor lân, a gallai weld pysgod gleision yn nofio yma ac acw. Sylwodd ar lysywen hir, felen yn cordeddu ei ffordd yn osgeiddig drwy'r cerrig. Yna gwelodd gysgod tywyll yn saethu i ganol y pysgod gleision – dyfrgi. Daliodd hwnnw un o'r pysgod yn hawdd ac yna godi i'r lan gyda'r pysgodyn yn gwingo yn ei geg. Nofiodd at garreg a dringo arni i fwynhau ei bryd. Edrychodd i fyny at Efa, a dal ati i gnoi heb gyffroi o gwbl. Roedd o wedi hen arfer â hi. Roedd pob anifail yng ngerddi'r palas yn berffaith ddiogel rhag cael eu hela gan bobl, ond nid rhag ei gilydd.

Mae natur yn gallu bod yn greulon, meddyliodd Efa. Ond mae'n gweithio; mae 'na drefn iddi. Mae'n siŵr mai mynd yn groes i natur ydw i drwy strancio 'mod i ddim am ladd Mam. Mae breninesau'r gwenyn mêl yn ei wneud o, ac mae Cara'n dweud bod pryfed cop y Nyddwyr Les Du yn bwydo ar eu mamau ar ôl cael eu geni. Ych. Diolch byth na ches i 'ngeni i fod yn un o'r rheiny! Ond mae pob dim yn gorfod lladd rhywbeth er mwyn cael byw, am wn i.

'Dydy lladd pysgod yn poeni dim arnat ti, nac ydy, Dyfrgi?' sibrydodd. 'Ond be taset ti'n gorfod lladd dy —'

'Efa, 'dan ni'n gwbod dy fod ti yna,' meddai llais uchel o'r lan.

Dalian. Trodd Efa i sbecian drwy'r dail. Doedd o ddim ar ei ben ei hun; gallai weld corff crwn Galena a Cara fain yn sefyll wrth ei ochr, a Bilen hefyd, ei gwallt coch wedi ei bentyrru'n berffaith ar ei phen. Ei ffrindiau gorau, a phob un â golwg ddifrifol arnyn nhw.

'Dwi'n gwbod 'mod i yma hefyd,' atebodd. 'Dod yma i gael llonydd wnes i.'

'Wel mae'n ddrwg iawn gynnon ni,' meddai llais Galena, 'ond 'dan ni angen gair…'

Tawelwch.

'Ym… os gweli di'n dda?' meddai llais bychan Cara.

'Rŵan!' meddai llais uchel Bilen. 'A phaid â gneud i Dalian orfod dy lusgo di oddi ar y gangen 'na!'

'Fi?' meddai Dalian yn syn. 'Pam fi?'

'Achos ti ydy'r unig un sy'n gryfach na hi.'

'Faswn i ddim yn deud hynny,' meddai Dalian. 'Mae hi'n fy nghuro i wrth reslo braich bob tro.'

'Ti ydy'r unig un sy'n dalach na hi 'ta,' meddai Bilen. 'Ty'd rŵan, Efa. Does 'na'm lle i ni gyd ar y gangen 'na.'

'Oes, mae 'na,' meddai Efa. 'Os dach chi isio "gair" efo fi, dewch chi fan hyn ata i.'

'Paid â bod yn wirion,' meddai Galena. 'Jyst ty'd, wnei di? Mae gan rai ohonon ni waith i'w neud!'

Oedodd Efa. Roedd hi'n gwybod yn iawn ei bod hi'n ymddwyn fel plentyn, ond roedd hi'n flin. Ac roedd hi wedi cael llond bol o bobl yn rhoi gorchmynion iddi'n dragwyddol. Roedd gan dywysoges hawliau! Roedd hi ar fin rhoi llond pen i'w 'ffrindiau' pan deimlodd gryndod bychan yn y gangen. Edrychodd i fyny a gweld bod Dalian, rywsut, wedi llwyddo i ddringo ar y gangen uwch ei phen, a dyna lle roedd o, yn gwenu i lawr arni.

'Y? Sut wnest ti —?'

'Mae 'na waed cathod yn y teulu.'

'Ha. Callia.' Ond roedd o'n sicr yn gallu symud fel cath pan oedd o isio, meddyliodd Efa. Fel panther. Roedd ei wallt a'i lygaid tywyll yn sgleinio'n union fel un o'r pantherod a gadwai ei mam yng nghoedwig y palas. Roedden nhw'n anifeiliaid hardd, ac roedd Dalian wedi datblygu i fod yn filwr hawdd iawn edrych arno. Roedd y plorod oedd ganddo pan ddaeth Efa i'w nabod gyntaf, bum mlynedd yn ôl, wedi hen ddiflannu. Polyn lein pymtheg oed oedd o bryd hynny, heb arfer gyda'i daldra a heb dyfu i mewn i'w gorff yn iawn. Er hynny, roedd ei allu i ymladd yn amlwg, ac roedd y blynyddoedd o ymarfer dwys wedi gwneud gwyrthiau. Allai hi ddim peidio ag edmygu ei ysgwyddau cyhyrog a'i goesau hirion, cryfion – a'r llygaid oedd yn gwenu'n dywyll arni rŵan.

'Wel? Wyt ti'n mynd i ddod yn dawel, neu oes rhaid i mi dy daflu di dros fy ysgwydd?' meddai wrthi.

'Fyddet ti ddim yn meiddio…' meddai gyda fflach o'i llygaid. Ond, yn dawel bach, gwyddai y byddai hi wrth ei bodd petai o'n rhoi cynnig arni. Roedden nhw wedi hen arfer brwydro a reslo yn erbyn ei gilydd yn eu dosbarthiadau ymladd, ond yn ddiweddar roedd arogl ei chwys wedi bod yn gwneud i'w phen droi. Nid oherwydd ei fod yn arogl drwg. Roedd chwys y milwyr eraill yn aml yn drewi, ond roedd rhywbeth am arogl Dalian oedd yn ei denu. Ond fyddai hi byth yn cyfaddef hynny wrtho. Byth.

Roedd o'n gwenu'n ddireidus arni rŵan, bron fel petai'n gallu darllen ei meddyliau.

'Iawn,' meddai hi'n frysiog, gan godi ar ei thraed, 'mi wna i ddod yn dawel.'

Dringodd hithau yn ddigon tebyg i gath dros y gangen a neidio ar y lan wrth ymyl y lleill. Glaniodd Dalian yn ysgafn y tu ôl iddi.

'Be sy mor ofnadwy o bwysig, felly?' gofynnodd Efa.

Cydiodd Galena yn ei llaw a'i harwain at draeth bychan yn uwch i fyny'r afon. Eisteddodd pawb ar y creigiau llyfn lle roedden nhw wedi treulio ambell awr rydd yn y gorffennol yn chwerthin a chwarae a thynnu ar ei gilydd. Bryd hynny, roedd y traeth yn ddigon pell o'r palas iddyn nhw fedru gwneud sŵn heb amharu ar neb. Bellach, roedd yn ddigon pell i neb fedru eu gweld na'u clywed.

'Efa,' meddai Galena, 'gwranda: 'dan ni, dy ffrindia di, yn poeni amdanat ti. Dwed wrthi, Cara.'

'Ym… deud be'n union?'

'Wel, am be ddigwyddodd yn oes Morlo!'

'Marla,' meddai Cara yn dawel. 'Yn oes y Frenhines Marla. Ddim Morlo.'

Rhowliodd Galena ei llygaid.

'Marla 'ta! Ti'n gwbod 'mod i'n anobeithiol am gofio enwau… jyst dwed wrthi.'

Nodiodd Cara ei phen yn araf a dechrau adrodd hanes merch y Frenhines Marla wrth Efa.

'Dwi wedi bod yn sbio yn yr hen lyfrau, a Dani oedd ei henw hi —'

'Ha! Felly ti'n mynd i ddeud wrtha i am-Dani!' chwarddodd Efa.

Dechreuodd Dalian a Bilen chwerthin hefyd, nes i Galena wgu arnyn nhw.

'Dydy hyn ddim yn ddigri…' meddai'n oeraidd.

Bu rhai eiliadau o ddistawrwydd wrth i bawb edrych ar Cara yn ddisgwylgar, ac wrth i Cara geisio deall beth oedd yn ddigri.

'Jyst dal ati efo'r stori,' meddai Galena.

'O, ia. Iawn. Wel, does 'na'm llawer o fanylion wedi eu cadw, ond roedd Dani'n ferch benstiff ac mi wrthododd ladd ei mam.'

'Felly nid fi ydy'r cynta!'

'Gad iddi orffen!' gwaeddodd Bilen yn ddiamynedd.

Rhowliodd Efa ei llygaid ac amneidio ar Cara i ddal ati.

'Mi gafodd ei cheryddu, ei chosbi, bob dim, ond roedd hi'n dal i wrthod. Felly mi benderfynon nhw ei dienyddio hi.'

Sythodd Efa wrth glywed hyn. Ar ôl oedi am yr eiliad leiaf, aeth Cara yn ei blaen.

'Ond ar y funud ola, mi nath y fam, Marla, newid ei meddwl. Mae'n debyg mai diwedd y stori oedd i Dani gael ei halltudio i'r Diffeithwch Du, a chlywodd neb yr un gair amdani byth wedyn.'

'Felly doedd y fam ddim yn gallu lladd y ferch,' meddai Efa. 'Diddorol. Roedd hi'n amlwg wedi gallu lladd ei mam ei hun er mwyn bod yn frenhines, ond roedd lladd ei merch yn fater arall. Hm.'

'Y? Glywest ti be ddeudodd hi?' meddai Dalian. 'Roedden nhw'n mynd i'w dienyddio hi! Am wrthod lladd ei mam! Mi allai'r un peth ddigwydd i ti, Efa!'

'Ond wnaethon nhw ddim, naddo?'

'Naddo,' cytunodd Cara. 'Ond mi wnes i sbio'n bellach yn ôl yn y llyfrau...' meddai, gan edrych yn nerfus ar y lleill.

'Ia?' meddai pawb.

'Ac mae 'na ambell achos arall o dywysoges yn gwrthod lladd ei mam.'

'Iawn. A?' meddai Efa.

'Mi gafodd pob un ei dienyddio.'

Syllodd pawb yn hurt ar Cara, yna ar Efa.

'Ti'n mynd i gallio rŵan 'ta?' meddai Galena.

Brathodd Efa ei gwefus ac astudio rhywbeth diddorol tu hwnt wrth ei thraed.

'Wyt ti'n meddwl y gwneith dy fam dy alltudio di, fel tase hynny'n syniad gwell?' meddai Bilen. 'Does 'na neb yn gwybod be sydd yn y Diffeithwch Du!'

'Dach chi i gyd yn gwybod yn iawn be fyddai Mam yn ei neud,' meddai Efa.

'Nac ydan!' meddai'r pedwar fel un.

'Na? Wel, mae gen i syniad go lew,' meddai Efa. 'Mi roddodd hi'r gorau i fod yn glên efo fi oes yn ôl. Dwi jyst yn mynd ar ei nerfau hi.'

'Felly, ti'n meddwl y byddai hi'n gadael i ti gael dy ladd?'

'Ydw. Mae gen i bedair chwaer iau iddi ddewis ohonyn nhw. Dyna pam gawson nhw eu geni – rhag ofn.'

Bu tawelwch hir wrth iddyn nhw bendroni dros hyn.

'Ond maen nhw mor ifanc,' meddai Cara. 'Ac mor swil a thawel, dim byd tebyg i ti.'

'Mi fyddan nhw'n haws eu mowldio, felly,' meddai Efa. 'Mae'n rhaid bod 'na fwy o gyth yn fy nhad i, pwy bynnag oedd o.'

'Chest ti rioed wybod pwy oedd o, felly?' gofynnodd Bilen yn ofalus. Er eu bod yn ffrindiau ers blynyddoedd, doedden nhw erioed wedi trafod pethau fel hyn o'r blaen.

'Naddo. Mae'r holl beth wastad yn gyfrinach fawr. Rhyw

filwr oedd yn ticio'r blychau cywir oedd o, mae'n siŵr: tal, cryf, iach, digon yn ei ben… y math yna o beth. Gwneud ei ddyletswydd a dyna ni.'

'Dyna'r drefn erioed,' eglurodd Cara. 'Mae'r Frenhines yn cael ei pharu ar gyfer beichiogi, ond chaiff hi ddim dal ati efo'r berthynas rhag ofn i hynny amharu ar ei gallu i reoli ei theyrnas.'

'Ydy'r tad yn gwybod mai fo ydy'r tad?' gofynnodd Dalian.

'Efallai ei fod o'n amau, ond cheith o byth wybod yn swyddogol,' meddai Cara. 'Ac os mai milwr yn y palas oedd o, mi gaiff ei symud i ran arall o Felania yn syth.'

'Wela i,' meddai Galena gyda diddordeb. 'Felly taset ti, Dalian, yn cael dy ddewis ar gyfer Efa, fyddet ti byth yn cael ei gweld hi eto.'

Gwridodd Dalian yn syth, ac astudiodd Efa ei thraed. Bu tawelwch hir eto.

'Wel, dyna ni felly,' meddai Bilen yn y diwedd. 'Efa, rho'r gorau i'r holl gwyno a'r chwarae gwirion 'ma, a tria ymddwyn fel darpar frenhines am y misoedd nesa. Mi geith bob dim ddigwydd fel y dylai, mi gei di dy goroni yn Frenhines Melania, ac mi fyddwn ni gyd yn dal i fyw yn y palas efo ti am flynyddoedd eto. Syml. Hawdd.'

'Mae Bilen yn iawn, Efa,' meddai Dalian yn araf. 'Ti ydy'r person mwya dewr dwi'n ei nabod, a phan ddaw hi i'r pen, mi ddoi di o hyd i'r cryfder mewnol i neud be sy raid.'

'Gwneud be sy raid…' meddai Efa yn chwerw. 'Dwyt ti methu ei ddeud o, nag wyt? Ond mi ydw i: lladd fy mam. Syml. Hawdd.'

'Does gen ti fawr o ddewis, Efa,' meddai Cara.

'Nag oes, debyg.'

'Iawn,' meddai Galena'n frysiog. 'Dyna hynna wedi ei setlo 'ta. Mi fyddan nhw'n sgrechian amdana i yn y gegin 'na erbyn hyn.'

'Ac mae gen i lwyth o walltiau i'w trin,' meddai Bilen. 'Wela i di nes 'mlaen, Efa.'

'Ac mae gynnon ni waith ymarfer…' meddai Dalian, gan edrych ar Efa.

'Ddo i yn y munud,' meddai Efa. 'Mi fydd rhaid i mi nôl fy offer yn gynta.'

Gadawodd y tri arall, ond oedodd Cara gyda Efa.

'Does gen ti'm gwaith i'w neud?' meddai Efa wrthi.

'Oes. Ond dwi'n rhyw synhwyro… dwyt ti ddim wedi penderfynu'n iawn eto, nag wyt, Efa?'

Ysgydwodd Efa ei phen yn araf.

'Wel, be bynnag benderfyni di, dwi'n siŵr y gwnei di'r dewis cywir – i ti,' meddai Cara. 'Ond a fydd o'r dewis cywir i Felania?' Cododd ei haeliau, gwasgu llaw ei ffrind a throi'n ôl am y palas.

Ochneidiodd Efa a throi'n ôl i edrych i gyfeiriad yr afon. Roedd darn o sgerbwd y pysgodyn ddaliodd y dyfrgi yn sychu ar y garreg, yr esgyrn yn wyn, a phryfetach yn hofran uwchben yr ychydig gnawd styfnig oedd ar ôl.

4

ROEDD Y MILWYR ar ganol eu hymarferion pan gyrhaeddodd Efa yn ei dillad ymladd – trowsus hir du a bwtsias hirion o ledr meddal yr un lliw; crys du gyda lledr ar yr ysgwyddau a'r peneliniau, helmed felen lachar am ei phen, a'i gwallt wedi ei glymu mewn plethen felen a du i lawr ei chefn. Edrychodd Dalian arni ac ysgwyd ei ben.

'Faint o weithiau sy raid i mi ddeud? Stwffia'r blethen 'na o'r golwg, wnei di?'

'A faint o weithiau sy raid i mi egluro?' meddai Efa. 'Does 'na'm lle iddi yn yr helmed!'

'Gofynna am helmed fwy 'ta! Mae'n llawer rhy hawdd i rywun gydio yn y blethen ar ganol sgarmes.'

'Dydy Mam rioed wedi stwffio'i phlethen yn ei helmed, a wnaeth 'run o'r cyn-freninesau eraill orfod gwneud chwaith.'

'Sut gwyddost ti? Dim ond wedi gweld y lluniau ohonyn nhw wyt ti, a doedden nhw ddim ar ganol brwydr ar y pryd, nag oedden?'

Sythodd Efa a chloi ei gwefusau yn llinell dynn. Roedd o'n iawn – eto. Ond doedd hi ddim yn bwriadu cyfaddef hynny wrtho. Roedd derbyn gorchmynion ganddo wedi bod yn ddigon anodd ers iddo gael ei benodi'n Brif Hyfforddwr flwyddyn yn ôl. Ac yntau'n ddim ond pedair ar bymtheg oed ar y pryd, fo oedd yr ieuengaf erioed i gael y swydd, ond roedd hi'n berffaith amlwg i bawb ei fod wedi ei eni i gyflawni swydd o'r fath. Roedd o'n drylwyr, yn deg ac roedd y milwyr eraill i gyd yn ei barchu.

'Pa ymarfer wyt ti am i mi ei neud gynta?' gofynnodd Efa yn swta. Roedd y milwyr o'i chwmpas yn ymarfer sgiliau cleddyf, criw wrth y mur mawr yn ymarfer sgiliau bwa a saeth, a chriw arall yn rhedeg o amgylch muriau'r castell gyda milwyr eraill ar eu cefnau. Dyna'r dasg roedd hi, a phob milwr arall, yn ei chasáu fwyaf.

'Gei di gynhesu yn gynta, fel pawb arall,' meddai Dalian. Trodd at filwr oedd ar ganol cau ei helmed, yn amlwg wedi cyrraedd yn hwyr, fel Efa. 'Prad? Gei di fod yn bartner i Efa, a geith hi dy gario di yn gynta. Ty'd.'

O, na! Roedd Prad yn dal ac yn drwm. Gwgodd Efa wrth i Prad gerdded tuag ati gyda gwên.

'Bore da, Dywysoges! Barod amdana i?'

Gwgodd Efa hyd yn oed yn fwy wrth i Prad gamu y tu ôl iddi, rhoi ei freichiau am ei gwddf a neidio ar ei chefn. Roedd y diawl yn pwyso tunnell.

'Iawn, un waith o amgylch y palas, wedyn newidiwch le,' meddai Dalian, gan wneud ei orau i beidio â gwenu.

Rhedodd Efa yn bwyllog ar ôl y milwyr trymlwythog eraill, gan deimlo pwysau Prad yn gwasgu ar ei hasgwrn cefn.

'Da iawn, Dywysoges,' meddai hwnnw yn ei chlust. 'Does dim angen mynd yn rhy gyflym i gychwyn.'

Wnaeth hi ddim trafferthu ei ateb. Roedd hi a Prad yn nabod ei gilydd ers blynyddoedd; wedi ymarfer sgiliau ymladd ac amddiffyn gyda'i gilydd ers iddyn nhw ddysgu cerdded, bron. Felly, nid bod yn barchus tuag ati roedd o wrth ei galw'n 'dywysoges'; roedd y crinc yn gwybod yn iawn bod hynny'n dân ar ei chroen. Tynnu arni drwy ddweud ei bod hi'n araf roedd o, nid ei chanmol am fod yn ddoeth.

Erbyn iddi gwblhau ei thro hi, roedd y chwys yn diferu o'i thalcen i mewn i'w llygaid ac yn rhaeadru i lawr ei chefn. Roedd ei choesau'n gwegian a'i hasgwrn cefn yn sgrechian, ond roedd hi wedi llwyddo i basio deuddeg o filwyr dros y can metr olaf. Gollyngodd Prad gydag ochenaid a theimlo'i hun yn tyfu'n dalach yn syth.

'Ddim yn ddrwg, Dywysoges,' meddai Prad, gan fynd ar ei gwrcwd iddi ddringo ar ei gefn yntau. Gan ei bod hi gymaint ysgafnach nag o, roedd o'n rhedeg yn gryf ac yn gyflym, yn pasio un pâr ar ôl y llall, ac yn gallu sgwrsio ar yr un pryd. Parablwr oedd Prad, yn wahanol iawn i Dalian.

'Fawr o amser ar ôl rŵan, nag oes?' meddai wrthi. 'Ac wedyn mi fyddi di'n rhy bwysig i ymarfer fel hyn efo ni. Y Frenhines Efa... braf yndê?'

'Mi fydda i'n dal i orfod ymarfer,' meddai Efa.

'Byddi, ond fydd gen ti ddim hanner cymaint o amser ar dy ddwylo. Pwyllgora ac areithio a ballu fyddi di rownd y ril – pan na fyddi di'n cael babis. A Bilen yn treulio oriau ar ryw baent a steil gwallt brenhinol i ti. Ond mi fydd hi fel hwch mewn siocled, wrth gwrs.'

'Wrth gwrs.'

'Mae hi'n ddawnus iawn, tydy? Am wneud gwalltiau a cholur ac ati.'

'Ydy.'

Allai Efa ddim peidio â gwenu. Gwyddai'n iawn fod gan Bilen ddiddordeb mawr yn Prad. Roedd hynny'n ddealladwy o ran ei olwg: roedd o'n dal a chryf a golygus. Ac er ei fod o'n siarad llawer gormod at ddant Efa, byddai Bilen wastad yn gwenu arno pan fyddai'n parablu'n ddi-baid am ryw lol neu'i gilydd. Wel, roedd hi'n ymddangos bod gan Prad ddiddordeb yn Bilen hefyd. Diddorol!

'Wyt ti am ddod draw i ardd y palas heno?' meddai yn ei glust. 'Mi fydd Bilen a fi a'r criw yno. Roedden ni wedi meddwl dawnsio chydig.'

'Dawnsio? Mi fydda i wrth fy modd yn dawnsio! Ia, iawn, mi ddo i, diolch yn fawr, Efa!'

Rhedai Prad hyd yn oed yn gyflymach rŵan am ryw reswm. Gwenodd Efa iddi hi ei hun. Doedd y criw ddim wedi trafod unrhyw fath o ddawnsio heno – ond fe gâi hi air efo nhw ar ôl gorffen ymarfer. Os oedd y ddarpar frenhines eisiau dawnsio yn yr ardd, wel, dawnsio amdani!

Roedd ganddi syched erchyll, ac ar y gair gwelodd Galena yn arwain criw o weithwyr ifanc y ceginau tuag atyn nhw gyda photeli a chostreli o ddŵr.

'Galena!' galwodd a brysio tuag ati. 'Ia, diod, os gweli di'n dda – a heno, pan fyddwch chi i gyd yn rhydd ar ôl swper, rydan ni'n dawnsio yn yr ardd, iawn?'

'Iawn,' meddai Galena, gan estyn potel o ddŵr oer, hyfryd iddi. 'Os fydd gen i'r egni i ddawnsio ar ôl cael trefn ar y criw newydd 'ma. Mae angen amynedd efo nhw, myn coblyn i.'

'Paid â chwyno!' chwarddodd Efa, cyn troi i chwilio am

Dalian. Amneidiodd hwnnw arni i ddod at y cylch cleddyfa, gan estyn cleddyf pren iddi.

Dalian oedd ei phartner cleddyfa, ac arfau pren fydden nhw'n eu defnyddio i ymarfer o ddydd i ddydd, gan fod yr arfau go iawn yn rhy werthfawr o gofio prinder affwysol metalau ar y blaned. Roedden nhw hefyd yn rhyfeddol o finiog, a doedd neb eisiau colli ei fysedd wrth ymarfer. Dim ond mewn ymarferion arbennig y bydden nhw'n defnyddio'r arfau hynny. Roedd clec gan gleddyf pren yn ddigon poenus beth bynnag.

Wynebodd y ddau ei gilydd. Gallai Efa deimlo'i chalon yn cyflymu. Dyma ei hoff arf o ddigon; roedd yn deimlad tebyg i ddawnsio, a dweud y gwir: camu, ochrgamu, troelli, siglo a chadw ei chydbwysedd, gan gadw llygad barcud ar ei gwrthwynebydd. Ac roedd hi wastad yn mwynhau ymladd yn erbyn Dalian. Dalian oedd y meistr efo'r cleddyf a byddai Efa'n dysgu rhywbeth newydd ganddo bob tro. O, ac roedd angen i Efa rythu i fyw ei lygaid, wrth gwrs, er mwyn ceisio darllen ei symudiadau, ac roedd yntau'n rhythu i'w llygaid hi am yr un rheswm. Gallai deimlo ei stumog yn crynu.

Dalian symudodd yn gyntaf, gan anelu at ei phen, ond roedd hi'n effro, yn barod amdano, a llwyddodd i'w rwystro, gan anelu ei chleddyf pren at ei asennau yn syth. Ond roedd o mor gyflym. Camodd y ddau mewn cylch heb dynnu eu llygaid oddi ar ei gilydd am eiliad. Ffugiodd Dalian i drio chwalu ei chydbwysedd, ond roedd Efa yn adnabod yr edrychiad ffugio yn ei lygaid, a chymerodd hi ddim sylw o'r symudiad. Troellodd yn sydyn gan anelu ochr ei chleddyf at ei war, ond roedd o'n rhy gyflym eto, a gallai Efa deimlo ei hesgyrn yn ysgwyd gan nerth y ddau gleddyf yn taro yn erbyn ei gilydd.

Aeth y sgarmes ymlaen ac ymlaen, a'r ddau'n gwrthod ildio. Dechreuodd y milwyr eraill roi'r gorau i'w brwydro hwythau a chasglu mewn cylch i wylio'r ddau wrthi.

Roedd rhai o'r Meistri wedi bod yn hanner gwylio o ffenestri'r palas, ond pan sylwodd un fod torf wedi ymgasglu, tynnodd sylw'r gweddill at y ffaith a dechreuodd pawb wylio'r sgarmes gyda diddordeb.

Roedd breichiau Efa'n sgrechian bellach, a'i hysgwyddau'n crensian bob tro y byddai'n rhwystro Dalian rhag ei tharo. Ond gallai weld y chwys yn diferu i lawr ei wyneb yntau; roedd o'n blino hefyd.

'Dal ati, Dywysoges!' gwaeddodd Prad, a rhuodd nifer o'r milwyr eraill eu cefnogaeth iddi hefyd. Roedd ganddyn nhw i gyd feddwl mawr o Dalian – fo oedd eu harweinydd wedi'r cwbl – ond byddai gweld Efa yn ei guro yn brofiad arbennig, yn achlysur i'w gofio.

Gwenodd Efa. Roedd gwybod bod yr holl filwyr yn ei chefnogi yn llenwi ei gwythiennau â gwres hyfryd. Ond roedd Dalian yn gwenu hefyd, ac yn dal i ymosod arni'n ddidrugaredd. Roedd o'n mwynhau hyn. Wel, roedd hithau'n mwynhau hefyd, ac am unwaith, am y tro cyntaf erioed, roedd hi'n mynd i'w guro.

Gwyddai y byddai'n ceisio ei tharo'n uchel o'r dde eto gyda hyn. Arhosodd am ei chyfle, a rhwystro'r trawiad hwnnw, ond gan daflu ei phwysau yn sydyn i'r chwith ac anelu blaen ei chleddyf yn syth am ei asennau chwith. Ond roedd Dalian fel petai'n gallu darllen ei meddwl, a neidiodd yn ei ôl fel bod ei chleddyf prin yn ei gyffwrdd. A drapia Plwton a Gwener a phob dim rhyngddyn nhw – roedd o'n gyflym fel neidr ac wedi ei tharo yn ei hochr dde fel ei bod hi'n baglu. A bellach roedd hi ar ei stumog yn y pridd a'i gleddyf pren yn pwyso ar ei gwar. Gallai glywed pawb yn cymeradwyo, ond gwyddai mai cymeradwyo Dalian oedden nhw. Cododd ei phen yn araf i weld llaw Dalian yn estyn amdani i'w helpu'n ôl ar ei thraed. Ystyriodd ei anwybyddu, ond na, byddai hynny'n blentynnaidd. A ph'un bynnag, roedd hi'n teimlo'n wan fel deilen. Gadawodd iddo ei chodi.

'Mi wnest ti'n dda,' meddai wrthi.

'Mi wnest ti'n well,' meddai hithau.

*

I fyny yn ffenestri'r palas, trodd y Meistri'n ôl at eu pwyllgora.

'Mae hi'n gryf,' meddai un ohonynt wrth Morda, y Cadeirydd.

'Yn gorfforol, ydy,' cytunodd hwnnw.

Doedd dim angen iddo ychwanegu at y sylw hwnnw. Roedd ei amheuon yn amlwg.

*

Ochneidiodd Efa wrth i Bilen blannu ei migyrnau yng nghnawd ei chefn.

'O diar,' meddai Bilen. 'Rwyt ti'n dynn fel twll tin Morda ar ddiwrnod rhannu cyflog. Be ddigwyddodd?'

Allai Efa ddim peidio â phiffian chwerthin, er bod hynny'n gwneud i'w hasennau frifo.

'Bilen! Dwyt ti ddim i fod i siarad fel'na! Ac yn bendant ddim am Morda – o bawb!'

'So-ri! Yn dynn fel ei wefusau y rhan fwya o'r amser 'ta. Dwi'm yn meddwl i mi weld y dyn yn gwenu erioed.'

'Wel, mae gynno fo swydd reit anodd, chwarae teg: helpu – aw! – Mam i reoli Melania.'

'Helpu?'

'Iawn, trio cael Mam i wneud y penderfyniadau mae o isio iddi eu gwneud, 'ta.'

'Yn hollol. Ond dwi'n meddwl eu bod nhw'n deall ei gilydd yn y bôn. Dwi'n meddwl y caiff o chydig mwy o drafferth efo ti…'

'Pam wyt ti'n – aaaw! – deud hynny?'

'Oherwydd dy fod ti rhyw fymryn bach yn fwy styfnig o bosib, Efa?'

'Fi? Yn styfnig?'

'Fel mul – wedi ei groesi efo cath. Ond dwyt ti byth wedi deud wrtha i be ddigwyddodd yn dy sesiwn ymladd. Edrycha ar y marciau coch yma… Mi fydd gen ti gleisiau hyll iawn ymhen diwrnod neu ddau.'

'Dalian oedd yn bod yn styfnig. Yn benderfynol o beidio colli – fel arfer.'

'Ia, dach chi'n debyg erioed… Ymlacia, wnei di? Mae hyn fel tylino bonyn coeden.'

'Sori. A dydan ni ddim byd tebyg.'

'O, nac ydach. Ddim o gwbl.' Oedodd Bilen wrth dywallt mwy o olew argan dros ei dwylo cyn dechrau tylino ysgwyddau Efa eto. 'Wyt ti'n cael dy demtio i'w ddewis o fel dy garwr cyntaf ar ôl cael dy wneud yn frenhines?'

Sythodd Efa mewn braw.

'Dalian? Paid â bod yn wirion!'

'Pam lai? Mae gynno fo bob dim sydd ei angen i greu plant iach, golygus efo ti.'

'Dwi'm yn deud llai. Ond Dalian? Allwn i byth. 'Dan ni'n nabod ein gilydd yn rhy dda. A ph'un bynnag, taswn i'n beichiogi, faswn i byth yn cael ei weld o wedyn, na faswn?'

'Ia, mae hynny ynddi,' meddai Bilen, gan wasgu ei bodiau i mewn i gyhyr trapesiws Efa – ac anwybyddu ei phrotestio. 'Pwy sydd gen ti mewn golwg 'ta? Neu fyddi di'n gadael i'r Meistri wneud y dewis drosot ti?'

'Ddim diawl o beryg!'

Oedodd Bilen eto.

'Be am Prad? Fyddet ti'n ei ystyried o?'

Ochneidiodd Efa. Roedd hi'n ymwybodol iawn o'r tensiwn yn llais Bilen, heb sôn am yn ei bysedd.

'Bilen… na fyddwn siŵr. Yn un peth, mae o'n ffrind arall rhy dda i'w golli, ac yn fwy na dim, dwi'n gwybod faint o feddwl sy gen ti ohono fo. O, a gyda llaw, rydan ni'n dawnsio heno – yn yr ardd. Ac mi fydd Prad yn dod. Roedd y syniad o gael dawnsio efo ti yn apelio'n arw…'

'Oedd?'

'Oedd.'

'Sut wyt ti'n gwybod? Be ddeudodd o?'

Gwenodd Efa.

'Mi ddeudodd o rywbeth am hwch…'

'Hwch?!'

Chwarddodd Efa. 'Tynnu dy goes di ydw i. Dim ond canmol dy ddoniau di oedd o. Rŵan, defnyddia dy ddoniau i gael fy nghorff i'n ddigon da i fedru dawnsio nes bod eich pennau chi'n troi, wnei di?'

5

ROEDD EI CHALON yn curo'n wyllt a'i chroen yn wlith o chwys. Teimlai ddwylo cryfion arni, ond doedd hi ddim yn eu hadnabod. Clywai sŵn sgrechian a gweiddi – roedd hi ei hun yn sgrechian, ac yna gwelodd fflach o rywbeth arian, rhywbeth metal yn dod amdani…

Neidiodd gyda sgrech!

Edrychodd o'i chwmpas mewn penbleth. Doedd neb arall yno. Roedd hi yn ei gwely ac roedd yr haul yn gwenu drwy'r ffenest, a darnau o lwch yn dawnsio yn y golau. Dim ond breuddwyd. Neu hunllef. Un arall. Allai hi ddim cofio cael hunllefau pan oedd hi'n iau; dim ond yn ddiweddar roedd y rhain wedi dechrau.

Clywodd gnoc ar y drws.

'Dywysoges? Efa?' Llais pryderus Prad. Mae'n rhaid mai fo oedd un o'r gwarchodwyr wrth ei drws.

'Mae'n iawn, Prad, dim ond breuddwydio ro'n i,' galwodd yn ôl arno. 'Gei di fynd yn ôl i gysgu!'

'O, iawn,' meddai hwnnw, a'i ryddhad yn amlwg.

Cododd Efa ei llaw at ei thalcen. Roedd y chwys yn wir, o leia. Doedd ganddi ddim awydd ceisio mynd yn ôl i gysgu a hithau'n wlyb annifyr drosti. Cododd a cherdded at ei stafell ymolchi drwy'r bwa marmor ym mhen draw ei llofft. Tynnodd ei gŵn nos dros ei phen a chamu o dan gylch melyn, siâp ambarél a grogai o'r nenfwd. Pwysodd ei throed ar garreg wen yn y llawr marmor a llifodd y dŵr cynnes drosti. Dŵr glaw oedd yn cael ei gasglu mewn cronfeydd mawr ar doeau'r palas oedd hwn, ac yn cael ei gynhesu gan yr haul, yn union fel gweddill cartrefi Melania. Roedd Cara wedi ei dysgu y byddai pobl yn defnyddio pethau o'r enw 'olew' a 'nwy' fel tanwydd filenia yn ôl, ond bod y rheiny wedi hen ddarfod, yn union fel pob tamaid o aur, arian, glo, platinwm, telwriwm, indiwm a scandiwm. Roedd y boblogaeth ar y pryd wedi mynd drwyddyn nhw i gyd yn gwbl ddi-hid, wedi sbydu'r blaned gyfan, yr hen bethau twp, hunanol.

Y gwynt a'r haul oedd yr unig danwydd bellach. Roedd gan bawb ym Melania yr un system i gadw eu hunain yn lân, ond efallai fod cawodydd y palas fymryn yn fwy moethus. Trodd Efa dap bychan carreg yn y wal fel bod hylif gwyrdd yn diferu i'w llaw ac anadlodd yr arogl lafant a gwymon wrth iddi ei dylino drwy ei gwallt a thros ei chroen. Yr un hylif y byddai pawb ym Melania yn ei ddefnyddio ers canrifoedd, ers i brofion ddangos mai gwafant oedd y gymysgedd orau un ar gyfer cadw'r croen yn lân a llyfn, ac i wella unrhyw fân grafiadau.

Wrth i'r dŵr meddal dasgu drosti, gadawodd Efa iddi hi ei hun gofio'r dawnsio yn y gerddi y noson flaenorol. Roedd gwylio Bilen a Prad wedi bod fel gwylio magned a darn o haearn yn cael eu tynnu at ei gilydd; roedd y ddau'n ffitio, rywsut. Ond roedd hi a Dalian wedi bod yn debycach i ddau fagned yn gwthio yn erbyn ei gilydd. Roedden nhw wedi rhyw fath o ddawnsio gyda'i gilydd yn y diwedd, ond roedd Dalian wedi gwneud popeth o fewn ei allu i beidio â'i chyffwrdd, gan adael Efa'n teimlo'n chwithig ac yn siomedig. Doedd o'n fawr o ddawnsiwr, beth bynnag. Efallai ei fod yn rhyfeddol o ystwyth pan oedd yn ymladd, ond roedd yr ystwythder hwnnw'n diflannu'n llwyr pan fyddai'n dawnsio. Byddai'n dal ei hun yn stiff fel bonyn coeden – gyda hi, o leiaf. Ond roedd o'n amlwg wedi mwynhau dawnsio gyda Galena. Roedd hi'n amhosib i unrhyw un beidio â mwynhau dawnsio gyda Galena; roedd hi wastad yn mwynhau ei hun, yn chwerthin a gwenu, ac roedd hi'n rhyfeddol o hyblyg o ystyried ei bod hi dros ei phwysau. Roedd hi wedi gallu dal ati drwy'r nos hefyd, yn wahanol i Cara druan, oedd wedi blino'n lân ar ôl hanner awr. Doedd y ferch ddim yn gwneud digon o ymarfer corff, ac roedd yn wan fel edau pry copyn. Byddai'n rhaid i Efa ddangos iddi sut i wneud ymarferion gyda'r holl lyfrau trymion yna roedd hi'n byw a bod yn eu cwmni. Gallai wneud hynny heddiw, yn y wers ddaearyddiaeth gyda hi ar ôl brecwast.

*

Roedd y ddwy ar fin dechrau'r wers pan glywson nhw sŵn traed cyfarwydd yn dod i lawr y cyntedd. Dim ond y Frenhines oedd yn cerdded fel yna, gyda chamau hirion, hyderus, bron yn hamddenol.

'Bore da, ferched,' meddai hi wrth gamu i mewn i'r llyfrgell. 'Mi gewch chi anghofio am y llyfrau am heddiw, a dysgu llawer mwy allan yn y maes, fel petai.'

Edrychodd y ddwy arni'n ddryslyd.

'Dach chi'n dod ar daith efo fi o amgylch Melania,' gwenodd y Frenhines. 'Mae Galena a'i chriw wrthi'n paratoi eich paciau chi, ac mae'r milwyr eisoes wedi paratoi'r ceffylau. Mi fydd pawb yn barod i adael o fewn yr awr. Gwena, Efa! Rwyt ti wedi bod yn cwyno gymaint am fod yn gaeth i'r palas cyhyd, dyma dy gyfle di i weld rhywfaint o'r wlad y byddi di'n ei rheoli. Mi wnaiff les i ni i gyd.'

Ac i ffwrdd â hi, gan adael Efa a Cara yn gegrwth.

'Penderfyniad funud olaf?' meddai Cara, wedi i sŵn y traed ddiflannu.

'Mae'n rhaid,' meddai Efa.

'Wel, dwi'n edrych ymlaen yn arw – mi fydd yn braf!' meddai Cara, gan ddechrau casglu a chadw ei llyfrau yn syth. 'Dim ond i Raina dwi wedi bod, ac anghofia i byth pa mor brydferth ydy Llyn Llygad. Mae gen i hen fodryb yno sy'n gwybod pob dim am bob dim, er ei bod hi'n un ddigon od, yn fy mwydro i am ryw fflam hud o hyd pan o'n i'n blentyn. Ond mi faswn i wrth fy modd yn ei gweld hi eto. O, a dwi wastad wedi bod isio croesi'r Mynyddoedd Gleision! Ac mae Traethau Duon y de i fod yn anhygoel! 'Dan ni'n siŵr o gael mynd i fan'no, tydan?'

'Am wn i.'

Oedodd Cara a gogwyddo ei phen i'r ochr i astudio Efa.

'Dwyt ti ddim i weld wedi cynhyrfu llawer…'

'Nac'dw? Na, dwi'n edrych ymlaen. Methu dallt pam na fydden ni wedi cael mwy o rybudd, dyna i gyd.'

'Pryd gest ti grwydro Melania ddiwetha, Efa?' gofynnodd Cara.

'Pan o'n i tua deuddeg oed. Ond dim ond i Lyn Llygad a Thref-aur aethon ni bryd hynny. Mae gen i gof o fynd i Raina ar fy mhen-blwydd yn ddeg hefyd, a chael mynd mewn cwch, a Mam a fi'n nofio efo'r dolffiniaid gwyrddion.'

'Fues i yno unwaith hefyd. Dyddiau da…'

'Ia. Ond wedyn mi ddaeth y si bod ysbiwyr o Pica wedi llwyddo i setlo ym Melania, ac aeth Mam a'r Meistri yn hollol baranoaidd am adael i mi deithio, yn do.'

'Wel, mae'n amlwg eu bod nhw'n meddwl ei bod hi'n ddiogel rŵan,' meddai Cara, gan roi'r llyfr olaf yn ôl yn ei le.

'Ydy. Ond mi fydd hanner y fyddin efo ni, gei di weld…'

*

Doedd Efa ddim cweit yn iawn; dim ond criw o ychydig dros gant o filwyr oedd yn disgwyl amdanyn nhw wrth brif borth y palas, a phob un yn eistedd yn dal a chefnsyth yn eu gwisgoedd du a melyn ar gefn eu ceffylau sgleiniog, duon. Roedd Dalian ymysg yr arweinwyr, sylwodd. Er fod pob milwr yn edrych bron yn union yr un fath, boed yn wryw neu'n fenyw, roedd Dalian yn sefyll allan. Doedd Efa ddim yn siŵr pam.

Roedd y cogyddion, fel Galena a'i chriw, mewn coets fawr ddu yn cael ei thynnu gan bedwar ceffyl, a dwy goets arall yn dal offer a bwyd y tu ôl iddyn nhw. Roedd y daith am fod yn rhai dyddiau o hyd, yn amlwg. Sut goblyn roedd Galena wedi gallu cael trefn ar y cyfan mor sydyn?

Brysiodd Cara i ymuno â'r criw yn y goets fawr. Roedd hi

wedi cael cynnig marchogaeth ei cheffyl ei hun, ond fu Cara
erioed yn rhy hoff o farchogaeth – yn wahanol i Bilen. Roedd
honno'n gwenu gyda chriw o farchogion eraill y tu ôl i'r tair
coets, ac yn edrych yn hynod o drawiadol gyda'i gwallt coch
mewn plethen hir bron yr un lliw â'i cheffyl.

Ymddangosodd y Frenhines ar Bri, ei chaseg wen brydferth,
ac aeth i sgwrsio gyda'r hanner dwsin o Feistri oedd yn ymuno
â'r daith. Roedd Morda yn eu mysg, yn edrych fel brân gyda'i
wallt hir, du a'i drwyn siâp pig.

Daeth un o'r marchweision â cheffyl Efa iddi, caseg hynod
gyflym roedd hi wedi ei bedyddio yn Gwiblen. Roedd Dalian
wedi troi ei drwyn ar y pryd, cofiai, a dweud bod yr enw'n
hurt ac yn swnio'n debycach i enw cwningen. Roedd Efa'n
benderfynol o gadw at yr enw Gwiblen wedyn.

Camodd Efa tuag at y gaseg a neidio'n ystwyth ar ei chefn
cyn i'r marchwas gael cyfle i estyn llaw i'w chynorthwyo.
Plygodd yn ei blaen i anwesu gwddf Gwiblen cyn sythu a
gwasgu ei choesau'r mymryn lleiaf er mwyn annog y gaseg i
drotian yn ei blaen. Doedd Efa ddim yn siŵr gyda pha griw
roedd hi i fod. Byddai wedi dymuno bod gyda Bilen, ond
yna gwelodd Morda yn pwyntio. Nodiodd Efa, a throtian yn
urddasol i ymuno â'i mam, a oedd yn codi llaw ar y rhes o'i
merched iau a oedd yn syllu'n drist arnyn nhw o risiau'r palas.
Cododd hithau ei llaw arnyn nhw.

'Doeddech chi ddim am adael iddyn nhw ddod, felly?'
meddai.

'Na, maen nhw'n rhy ifanc,' meddai'r Frenhines.

'Ond mae Eilwen bron yn ddeuddeg.'

'Ydy, ond taith er dy fwyn di ydy hon. Mi gei di drefnu taith iddyn nhw rywdro eto, pan fyddi di'n frenhines.'

'Iawn. Felly ble rydan ni am fynd gynta?' gofynnodd Efa wrth i'r fintai symud yn daclus drwy'r porth.

'I'r dwyrain, dros Fryniau Drycin i Format. Wedyn rydan ni am deithio ar hyd yr arfordir am y de a draw at Raina. Rwyt ti wedi bod i'r fan honno o'r blaen, os cofi di.'

'Cofio'n iawn,' meddai Efa. 'Y dolffiniaid gwyrddion. Gawn ni nofio efo nhw eto?'

'Gawn ni weld,' gwenodd y Frenhines. 'Os bydd amser efallai.'

Roedd y milwyr ar y blaen wedi dechrau cyflymu, felly dechreuodd y marchogion garlamu'n esmwyth ar hyd yr hen ffordd i Format. Ganrifoedd yn ôl, roedd wyneb holl ffyrdd Melania wedi eu gorchuddio gyda thywodlin, deunydd arbennig a oedd yn galluogi rhedwyr, olwynion a charnau ceffylau i deithio'n gyfforddus, diogel a chyflym o un lle i'r llall. Roedd yr hen wyddonwyr wedi darganfod bod tywod tywyll, unigryw'r Traethau Duon yn ne'r ynys yn neilltuol o gadarn, a bod cerrig o chwarel Bryniau Drycin, dim ond iddynt gael eu chwalu'n ronynnau bychain, â natur garedig, tebyg i rwber. Drwy gymysgu'r tywod â'r cerrig hynny, roedd modd creu ffyrdd oedd yn gyfforddus i draed a charnau, ac yn gadarn yr un pryd. Roedd rhedwyr a cheffylau yn gallu hedfan dros yr wyneb yn llawer cyflymach ac am gyfnodau llawer hwy, a theithwyr mewn cerbydau olwyn yn cael teithio'n hynod esmwyth, heb gael eu hysgwyd nes bod eu dannedd yn clecian.

Roedd sôn bod y Picyniaid wedi ceisio creu eu tywodlin eu hunain, ond wedi methu, a'u bod yn ysu am gael rheibio chwarel Bryniau Drycin. Ond doedd hynny byth yn mynd i ddigwydd. Gwyddai pawb am berygl defnyddio gormod ar adnoddau naturiol y blaned, ac roedd Melania'n hynod ofalus o'i holl adnoddau.

O fewn ychydig oriau roedd y bryniau o'u blaenau, yn grwn fel petai rhywun wedi taflu cannoedd o beli anferthol o'r awyr, a'r rheiny wedi plannu eu hunain yn y ddaear. Doedd fawr ddim yn gallu tyfu arnyn nhw oherwydd natur unigryw y graig felen, felly pan fyddai'r haul yn machlud yn y de, disgleiriai'r bryniau fel petaen nhw'n aur i gyd. Roedd nifer o feirdd Melania wedi ysgrifennu cerddi yn ceisio eu disgrifio, ac arlunwyr wedi gwneud eu gorau i'w darlunio, ond doedd dim byd yn cymharu â'r olygfa go iawn.

Carlamodd un o'r milwyr blaen yn ei ôl at y Frenhines. Wrth iddo nesáu, gwelodd Efa mai Prad oedd o.

'Henffych, Frenhines,' meddai hwnnw. 'Ydach chi am i ni gael hoe cyn mynd drwy'r bryniau, neu ddylen ni ddal ati a chael hoe ar yr ochr arall?'

Trodd y Frenhines at Efa.

'Beth wyt ti'n ei feddwl, Efa?'

'Fi?'

'Ie. Mae'n hen bryd i mi roi ffydd yn dy allu di i wneud penderfyniadau call a doeth, dwi'n meddwl.'

Syllodd Efa arni'n gegagored.

'A chau dy geg, cyn i ti ddal pry...'

Caeodd Efa ei cheg yn glep.

'Wel?'

'Ym…' meddai Efa. 'Oes 'na lyn neu afon yr ochr yma i'r meirch gael dŵr?'

'Mae 'na nant fechan draw fan acw.'

'Un fechan? O. Oes 'na lyn neu afon yr ochr draw 'ta?'

'Oes, afon Drycin, sy'n codi o'r bryniau deheuol.'

'A faint o amser gymerith hi i ni fynd drwy'r bryniau?'

'Dwy awr, falle tair.'

Trodd Efa i edrych ar y ceffylau a'r bobl y tu ôl iddi. Roedd pawb yn edrych yn eithaf hapus a chyfforddus eu byd a dim golwg o ôl chwys ar y ceffylau. Roedd hi ar fin rhoi ei hateb pan sylwodd ar Bilen yn gwneud stumiau rhyfedd arni wrth ymyl y goets fawr. Be ar y —? Yna deallodd. Trodd yn ôl at ei mam a Prad.

'Hoe fan hyn, ddeudwn i.'

'Pam?' holodd y Frenhines gyda diddordeb.

'Ym… mae 'na ddŵr ar gyfer y ceffylau yma, mae'r nant yn un fechan ydy, ond yn hir, a does wybod, mi allen ni orfod oedi yn y bryniau am ryw reswm; ac er fod ein milwyr ni wedi hen arfer teithio am gyfnodau hirion, tydy pawb ddim. Mae angen ystyried teimladau ac anghenion pawb.'

Gwenodd y Frenhines a throi at Prad.

'Glywaist ti'r penderfyniad. Rydan ni am oedi fan hyn.' Trodd yn ôl at Efa. 'Am ryw ugain munud, hanner awr?'

'Ugain munud yn ddigon, dwi'n meddwl.'

Nodiodd y Frenhines a charlamodd Prad yn ôl at y milwyr blaen. O fewn dim, canwyd y corngoch a daeth y fintai i stop. Llithrodd Efa oddi ar gefn Gwiblen, ei chaseg, ac wrth ei cherdded at y nant trodd yn ôl i edrych ar y goets. Ceisiodd beidio â chwerthin wrth weld Galena a Cara yn bustachu drwy'r llwyni ac yna eu pennau'n diflannu y tu ôl i lwyn fymryn mwy na'r gweddill.

'Roedden nhw jyst â byrstio!' meddai llais Bilen wrth ei hochr. 'Ac am ryw reswm, oherwydd nad yden nhw wedi arfer marchogaeth efallai, doedden nhw ddim yn fodlon defnyddio'r bibîb.'

Chwarddodd Efa. Roedd hi wedi hen arfer defnyddio'r bibîb, sef teclyn bychan siâp twmffat y gallai merched ei ddefnyddio i basio dŵr fel dyn. Cafodd ei hyfforddi gan ei mam i'w ddefnyddio'n ifanc iawn, ac roedd yn gwneud bywyd gymaint yn haws ar adegau fel hyn i beidio â gorfod dinoethi'r pen ôl na mynd ar ei chwrcwd. Erbyn meddwl, roedd arni angen ei ddefnyddio'r funud honno.

'Sôn am bibîb...' meddai wrth Bilen.

'Yn hollol,' cytunodd Bilen.

Tynnodd y ddwy eu teclynnau o'u pocedi ac agor balogau eu trowsusau cyn gosod bob i bibîb yn ei le yn gwbl ddidrafferth – ac ymollwng.

'Dwi'n dal i deimlo'n od yn gwneud hyn, cofia,' meddai Bilen gyda rhyddhad yn ei llais. 'Mi rwyt ti a'r merched eraill yn y fyddin wedi hen arfer, dwi'n gwybod. Ond mae sefyll i bi-pi jyst yn teimlo'n... anghywir.'

'Ga i ymuno efo chi?' meddai llais dwfn y tu ôl iddyn nhw, gan wneud i Bilen neidio – a gwichian wedyn. 'O diar, llanast?' meddai Prad gyda gwên amlwg o ffug-ddiniwed yn ei lais. 'Mae'n digwydd weithiau, tydy?'

'Pra-ad!' gwingodd Bilen. 'Mi wnest ti hynna ar bwrpas, y crinc!'

'Mae'n ddrwg gen i, ond do,' meddai Prad, cyn gwichian ei hun wedi i Bilen roi cefn pen iddo. 'Ond roedd o werth o!' chwarddodd wrth iddi ddechrau rhedeg ar ei ôl.

Chwarddodd Efa, cyn sylweddoli ei bod wedi hen orffen pasio dŵr.

Roedd hi ar ei chwrcwd yn golchi'r teclyn yn y nant pan deimlodd rywun yn sefyll y tu ôl iddi. Trodd ei phen i weld mai Morda oedd yno.

'O, helô,' meddai wrtho, a chodi ar ei thraed gan deimlo ei bochau yn llosgi.

'Henffych,' meddai yntau. 'Rydych yn mwynhau'r daith hyd yma?'

'O, ydw. Mae hi'n… ym… mynd i fod yn ddiddorol.'

'O, ydy. Diddorol iawn. Cymaint i'w weld… a'i astudio.'

Roedd ei lygaid yn pefrio i mewn iddi a dechreuodd Efa deimlo'n hynod o anghyffforddus. Astudio'r wlad neu ei hastudio hi oedd ganddo mewn golwg?

'Mi fydda i'n astudio pob dim yn fanwl iawn wrth gwrs,' meddai hi.

'Mi fyddwn ni i gyd, Dywysoges,' meddai Morda, gyda rhywbeth oedd yn hanner gwên, cyn amneidio ei ben a throi yn ei ôl at lle roedd pawb yn dechrau paratoi i ailddechrau'r daith.

Gwasgodd Efa ei hewinedd i mewn i gledrau ei dwylo. Roedd y dyn yna wastad yn gwneud i'w chroen gosi.

*

Bu'r daith drwy'r bryniau yn un hyfryd, a'r olygfa o dref Mormat ar yr arfordir yn un i gynhesu'r galon. Codai ei thyrau arian yn urddasol yn erbyn y môr, ac roedd conffeti o longau a chychod o bob lliw yn brysur o amgylch yr harbwr.

'Pysgod i swper heno,' meddai Galena. 'Maen nhw'n deud bod pysgod Mormat yn anferthol a'r blas yn dawnsio ar dy dafod di.'

Roedd hi'n iawn. Roedd y wledd yn neuadd Mormat y noson honno yn un i'w chofio: pysgod na welodd Efa eu tebyg, hyd yn oed yn y palas, rhai'n las â llinellau gwyrddion, rhai'n goch i gyd gyda chnawd bron yn biws, rhai â chroen aur a chnawd gwyn oedd yn blasu'n well na neithdar. Ac roedd ambell un yn fwy na hi! Llysiau o bob lliw a llun, a ffrwythau meddal, melys a phwdinau nefolaidd o bob math.

Cafodd y fintai groeso mawr o'r eiliad y cyrhaeddon nhw byrth y dref. Rhedai plant bach â llygaid duon, disglair atyn nhw o bob cyfeiriad, yn ysu i weld y Frenhines a'r Dywysoges a fyddai'n frenhines cyn hir. Canai utgyrn a churai drymiau yr holl ffordd i'r sgwâr tlws, llawn blodau o flaen y neuadd arian. Roedd y Mormatiaid yn meddwl y byd o'u teulu brenhinol, ac roedd yn rhaid i Efa gyfaddef iddi deimlo balchder yn llifo drwy ei gwythiennau. Efallai yr hoffai fod yn frenhines wedi'r cwbl.

Fore trannoeth, ar ôl cwsg hyfryd mewn gwelyau o blu'r gweunydd, a brecwast yn diferu o fêl y tiroedd ffrwythlon rhwng Bryniau Drycin a'r môr, cafodd Efa a'i chyfeillion fynd mewn cwch ar y môr gyda phlant y maer, a gwirioni o weld teulu o wyth morfil glas yn nofio'n hamddenol wrth ochr y cwch.

'Wnes i rioed freuddwydio y cawn i byth weld un morfil glas, heb sôn am wyth!' meddai Cara, oedd â dagrau yn ei llygaid, gymaint roedd hi wedi cyffroi. 'Roedden nhw bron â diflannu o'n moroedd ni filenia lawer yn ôl, pan fyddai pobl yn eu hela – eu hela a'u lladd, meddyliwch! I wneud sebon a chanhwyllau! Ac wedi rhoi'r gorau i'w hela, mi wnaethon nhw eu lladd efo'r biliynau o ddarnau o ryw stwff afiach o'r enw 'plastig' oedd yn cael ei daflu i'r môr! Maen nhw wedi dod yn ôl yn rhyfeddol ers hynny, diolch byth. Ond ro'n i wedi deall eu bod nhw'n dal yn greaduriaid swil, a'u bod byth wedi anghofio'r holl ddifa a lladd a dioddef, ac o'r herwydd yn cadw draw rhag cychod. Ond mae'r rhain yn falch o'n gweld ni, tydyn!'

Ar hynny, cododd un morfil ei ben yn araf – a rhoi winc iddi!

Byddai Cara wedi hoffi aros allan ar y môr drwy'r dydd, ond doedd Galena ddim mor hapus: roedd ei brecwast ar fin dod yn ôl i fyny i gyfarch y dydd, ac roedd angen i'r fintai ddal ati gyda'r daith beth bynnag. Trodd y cwch yn ôl am y lan, a brysiodd Galena at ochr y cwch i wagu ei stumog i'r môr.

'Dyna be ti'n ei gael am stwffio dy hun efo'r holl grempogau mêl!' chwarddodd Bilen.

*

Roedd yr haul yn tywynnu wrth i bawb ffarwelio â phobl Mormat a chychwyn i'r de am Borth Oer, tref ar benrhyn lle byddai modd iddyn nhw weld arfordir tywyll y Diffeithwch Du os daliai'r tywydd yn glir. Roedd y ffordd yn braf, y golygfeydd yn hyfryd, a phawb yn fodlon eu byd.

Marchogai Efa gyda'i mam eto, a sgwrsiai'r ddwy'n hamddenol. Fel erstalwm, meddyliodd Efa.

'Syniad da oedd y daith yma, yndê?' meddai ei mam wrthi.

'Yn bendant,' meddai Efa. 'Dwi'n cymryd mai'ch syniad chi oedd o?'

'Ia. Fi a'r Meistri,' meddai. 'Roedden ni'n ei weld yn gyfle i ti ddod i nabod dy deyrnas yn well, gweld pwy a be'n union fyddi di'n eu rheoli.'

'Bechod na fyddai o wedi digwydd ynghynt yndê?' meddai Efa yn ddiniwed.

'Ia. Ro'n i'n ddigon ffodus i gael teithio cryn dipyn o un pen i'r llall yn gyson pan o'n i'n dywysoges, ac mi fyddet ti a dy chwiorydd wedi cael yr un rhyddid heblaw am yr ysbiwyr o Bica.'

'Ond pa ysbiwyr o Bica?' meddai Efa. 'Gafodd unrhyw un ei weld erioed?'

'Mi gawson ni'r wybodaeth o ffynhonnell ddibynadwy iawn ar y pryd,' meddai'r Frenhines. 'Roedd hi'n well bod yn ofalus. Pan fyddi di'n fam dy hun, mi gei di weld sut mae'n teimlo pan fydd rhywun yn bygwth bywyd dy blentyn di.'

Edrychodd Efa ar ei mam. Edrych yn ei blaen roedd hi, yn osgoi dal llygad Efa. Allai Efa ddim peidio:

'Be am pan mae rhywun yn bygwth bywyd eich mam chi?' gofynnodd.

Tynnodd y Frenhines ei hanadl. Ac yna trodd i rythu i lygaid Efa, a dweud yn dawel ond yn bendant:

'Paid. Ddim fan hyn. Ddim rŵan.'

Trodd Efa, a dyna pryd y gwelodd hi Morda yn marchogaeth yn agos iawn, iawn atyn nhw. Ac roedd o'n edrych i fyw ei llygaid, heb arlliw o hanner gwên.

6

DOEDD DIM RHAID gofyn pam y cafodd Porth Oer ei enw. Wrth iddyn nhw deithio ar hyd y penrhyn cul, roedd y gwynt yn eu brathu i'r asgwrn. Gyda phob hyrddiad byddai cerrig mân a deiliach yn taro'r ceffylau a wynebau'r marchogion fel haid o wenyn meirch.

Teimlai Galena, oddi mewn i'r goets, ei bod yn ôl ar y cwch, yn cael ei thaflu'n ôl a mlaen gan y tonnau.

'Ydan ni bron yna?' griddfanodd. 'Neu mi fydda i'n chwydu eto.'

'Mae'n amhosib deud,' meddai Cara. 'Mae niwl wedi dod o'r môr a dwi'n gweld dim.'

Sbardunodd rhai o'r milwyr yng nghefn y fintai eu ceffylau ymlaen fel eu bod yn gwarchod y Frenhines ac Efa rhag y gwaethaf o'r gwynt. Ond doedden nhw'n gwneud fawr o wahaniaeth. Roedd pawb eisiau i'r rhan hon o'r daith ddod i ben cyn gynted â phosib, ond gan na allai'r arweinwyr weld drwy'r niwl, roedd carlamu'n ddall yn amhosib. Brwydrodd y ceffylau yn eu blaenau, eu myngau'n chwipio'n wyllt a'u pennau'n ceisio troi i'r ochr i osgoi'r cerrig mân oedd yn pigo, pigo'n ddi-baid.

Ochneidiodd Dalian gyda rhyddhad pan welodd yr adeiladau cyntaf.

'Rydan ni wedi cyrraedd!' gwaeddodd.

'Diolch i'r dduwies,' meddai'r Frenhines.

Ac yn sydyn roedd y niwl wedi diflannu a thref Porth Oer
yn llachar wyn o'u blaenau. Carlamodd ceffylau i'w cyfarfod:
Maeres Porth Oer a'i gosgordd.

'Mae'n ddrwg gen i am y niwl,' meddai'r Faeres ar ôl
cyfarch y Frenhines yn gynnes. 'Mae'n gallu dod ar ddim, a
diflannu yr un mor sydyn. Ond mae'r gwynt yn gyson, mae
arna i ofn. Dyna pam na welwch chi unrhyw fath o goed yma,
dim ond rhyw wrychoedd cam fel yr un fan hyn,' meddai
wrth iddyn nhw basio gwrych a edrychai fel hen ŵr â chefn
cam yn pwyso'n bell yn ei flaen ar ffon anweledig.

Roedd y croeso eto'n gynnes, a'r wledd yn hyfryd, a chafodd
pawb gyfle i grwydro'r dref a'r traeth cyn iddi dywyllu. Doedd
Efa ddim yn cael mynd i unlle heb osgordd o filwyr, ond
roedd hi a'i chyfeillion, Bilen yn enwedig, yn hapus fod Prad
a Dalian ymysg y milwyr hynny.

'Sbia arno fo'n dangos ei hun,' meddai Galena wrth wylio
Prad yn sglentio cerrig ar draws wyneb un o'r pyllau mawrion
yn y creigiau, a Bilen yn clapio'i dwylo wrth ei ochr.

'Mae o'n cael hwyl arni, chwarae teg,' meddai Efa. 'Deg
naid y tro yna, yli.'

'Efa!' gwaeddodd Cara, oedd wedi bod yn astudio rhai o'r
pyllau eraill. 'Ty'd yma! Mae 'na greaduriaid rhyfedd ofnadwy
fan hyn!'

Brysiodd y lleill ati a phwyso dros y dŵr i weld at beth
roedd hi'n pwyntio.

'Be? Wela i ddim byd – o!' meddai Efa, wrth iddi'n sydyn

weld cynffon goch y tu ôl i garreg – ac yna'r pen, a llathenni o gorff wedi corddeddu o dan ymyl y garreg. 'Neidr?'

'Ia. Neidr fôr o ryw fath,' meddai Cara. 'Tydy hi'n hardd?'

'Hardd?' meddai Bilen. 'Weles i rioed ddim byd mor hyll yn fy myw! Ac mae'n rhaid ei bod hi'n anferth – ac yn wenwynig!'

'Ond mi faswn i wrth fy modd yn cael gweld pa mor hir ydy hi,' meddai Cara. 'Efa, estynna'r darn broc môr 'na i mi…'

'Paid ti â meiddio!' meddai Bilen cyn i Efa gael cyfle i symud modfedd. 'Gadewch lonydd iddi, yn enw'r dduwies!'

'Dwi'n cytuno,' meddai Dalian. 'Cadw draw fyddai orau, rhag ofn.'

Rhowliodd Cara ei llygaid. 'Be am ofyn i'r dyn fan'cw be ydy hi?' meddai. 'Mi fyddwn i wrth fy modd yn cael gwybod.'

Galwyd ar ddyn oedd yn cerdded ar hyd y traeth gyda dau blentyn bychan. Plygodd hwnnw dros ochr y pwll i graffu – a neidio yn ei ôl yn syth.

'Peidiwch â mynd yn agos ati!' meddai. 'Neidr sgarlad ydy honna – mi neith y gwenwyn sydd yn nannedd honna eich parlysu o fewn eiliadau, fel tasech chi wedi'ch rhewi'n gorn. Wedyn, mi fydd yn eich gwasgu a'ch gwasgu nes eich bod chi'n ffitio i mewn i'w cheg hi. Mi lwyddodd pysgotwyr lleol i lusgo plentyn o afael un o'r rheina un tro, ond fyddai waeth iddyn nhw fod wedi gadael i'r neidr ei bwyta hi'n gyfan; mi fu'r farwolaeth yn un hir ac erchyll.'

'O, diar,' meddai Cara. 'Wnawn ni mo'i chyffwrdd hi felly.'

'Oes 'na lawer o greaduriaid peryglus o gwmpas Porth Oer?' gofynnodd Dalian i'r dyn.

'O, oes. Yn agos at y lan, mae gynnoch chi bob math o Frathwyr Bodiau yn y tywod dan y dŵr – sy'n gwneud yn union fel mae eu henwau nhw'n awgrymu: brathu'ch bodiau chi i ffwrdd. Dyna pam nad oes neb byth yn nofio yn y môr fan hyn. Wedyn mae'r Morgwn Milain, sydd yr un lliw â'r tywod yn union, ac yn stelcian yn y dŵr bas. Mae brathiad gan gynffon y morgwn yn wenwynig. Mi laddan nhw blentyn yn syth, ond dwi'n nabod ambell oedolyn sydd wedi dod drwyddi, dim ond eu bod nhw'n gwbl ddall wedyn am weddill eu hoes.'

'O, afiach!' meddai Bilen.

Ond doedd y dyn ddim wedi gorffen:

'Ac allan yn y dŵr dwfn,' meddai, 'mae 'na bob math o greaduriaid, rhai'n glên fel y morfilod a'r dolffiniaid, ond mae 'na aflwydd o'r enw Helicoprion hefyd: math o siarc efo dannedd ar ffurf olwyn, sy'n torri drwy gnawd a chychod fel llif. Os welwch chi un o'r rheiny, mae hi wedi ta-ta arnoch chi.'

'Be? Ond soniodd neb am unrhyw beth o'r fath ym Mormat!' meddai Efa.

'Wel na, pam ddylen nhw? Dydyn nhw ddim i'w cael yn fan'no, dim ond fan hyn, ym mhen draw'r penrhyn,' meddai'r dyn. 'Y sôn ydy bod y creaduriaid yma i gyd wedi nofio o'r Diffeithwch Du fan acw.'

Edrychodd pawb draw at y gorwel, lle gellid gweld llinyn hir o fynyddoedd tywyll, pigog.

'Maen nhw'n deud bod y Diffeithwch Du yn berwi efo pob math o greaduriaid peryglus,' meddai Galena, gan grynu wrth feddwl am y peth.

'Dyna'r sôn,' cytunodd y dyn. 'Ond does neb yn gwybod i sicrwydd gan nad oes neb wedi llwyddo i ddod oddi yno'n fyw.'

'Edrychwch! Mae 'na dân o ryw fath!' meddai Cara.

Craffodd pawb a gweld ei bod hi yn llygad ei lle. Roedd rhubanau o fwg yn codi i'r awyr yno: un mawr ac un llawer iawn llai, ymhellach i'r gogledd.

'Llosgfynydd,' meddai'r dyn. 'Mae 'na ffrwydriadau yno'n gyson. Mae 'na rai ohonon ni'n meddwl mai'r rheiny sy'n gyfrifol am y niwl melltith sy'n codi yma o nunlle. Mi fydd 'na niwl fel cawl gwymon heno, gewch chi weld.'

Roedd y dyn yn iawn. Pan edrychodd Efa drwy ffenest y llety cyn noswylio, roedd hi'n methu gweld blaen ei thrwyn. Yn gynharach, roedd goleuadau'r dref yn wincian yn braf arni yn y tywyllwch. Aeth cryndod drwyddi. Fyddai hi ddim yn dymuno byw ym Mhorth Oer dros ei chrogi – na chael ei gyrru i'r Diffeithwch Du. Ond doedd hi ddim wedi ei hargyhoeddi mai mwg llosgfynydd oedd y ddau ruban welson nhw yn gynharach. Oedd, roedd un yn llawer mwy na rhuban, yn lletach a llawer mwy trwchus, fel petai'n cynnwys cerrig a nwyon ac ager. Ond edrychai'r llall yn debycach i – wel, i fwg cyffredin o dân coed. Ond be wyddai hi? Dim ond yn yr ystafell ddosbarth roedd hi wedi gweld lluniau o ffrwydriadau llosgfynyddoedd.

*

Roedd olion y niwl yn dal i nadreddu'n llwyd o amgylch y tai pan ymgasglodd y fintai i ailddechrau ar y daith fore trannoeth.

'Mi ddylen ni fod yn Dostia cyn iddi dywyllu, os aiff pob dim yn iawn,' meddai Dalian. 'Ydy pawb yma?'

Oedden. Doedd neb eisiau aros ym Mhorth Oer fwy nag oedd raid.

Doedd y gwynt yn ôl ar hyd y penrhyn ddim mor ddrwg y tro hwn, ond roedd yn dal i frathu i'r asgwrn. Wedi troi am y de i gyfeiriad Dostia, roedd y ffordd yn arwain ar ymyl clogwyni serth uwchben y môr, ac erbyn hyn arfordir Pica oedd i'w weld ar y gorwel pell. Bob hyn a hyn, byddai'r criw yn pasio adeiladau marmor bychain a oedd wedi eu gosod ar ymyl y clogwyni, yn wynebu'r môr. Ym mhob un, roedd hanner dwsin o filwyr.

'Gwylwyr y glannau,' eglurodd Dalian wrth Efa, 'yn cadw llygad barcud ar unrhyw beth ddaw o gyfeiriad Pica. Cwch, coeden, potel – unrhyw beth. Mae'r Picyniaid yn gyfrwys.'

'Pa mor aml fyddan nhw'n gweld potel efo un o'r Picyniaid ynddi?' gofynnodd Efa yn ddiniwed.

Edrychodd Dalian arni heb arlliw o wên.

'Dydy o ddim yn ddigri, Efa. Mi allai rhywbeth edrych fel potel, ond efallai fod 'na long danddwr oddi tani.'

'Wrth gwrs,' meddai Efa, gan frwydro i swnio'n ddidwyll. 'Ond… ydyn nhw wedi dal ysbiwyr erioed?'

'Os ydyn nhw, fyddwn i ddim yn cael gwybod. Dy fam a Morda sy'n cael gwybod pethau felly.'

'Iawn, mi ofynna i i Mam 'ta.' Arafodd Efa ei cheffyl fel ei bod yn trotian wrth ochr ei mam eto. Roedd Morda yr ochr arall iddi.

'Mam?' meddai'n syth. 'Ydy'r gwylwyr y glannau 'ma wedi llwyddo i ddal ysbiwyr o Pica erioed?'

Edrychodd y Frenhines a Morda ar ei gilydd.

'Nid dyma'r lle i drafod materion cyfrinachol, Efa,' meddai'r Frenhines dan ei gwynt. 'Mi gei wybod pob dim y bydd angen i ti ei wybod ar ôl i ti gael dy goroni. Dyna'r drefn, a dyna fo.'

Edrychodd Efa arni am rai eiliadau, yna nodiodd ei phen a throtian yn ôl at Dalian.

'Gest ti wybod rhywbeth?' gofynnodd iddi.

'Naddo. Fel arfer.'

Aeth y ddau yn eu blaenau yn dawel, a sŵn carnau'r ceffylau a galwadau adar y môr uwch eu pennau yn gyfeiliant i'w meddyliau. Doedd dim byd anghyfforddus am y tawelwch hwnnw, a doedd yr un o'r ddau'n teimlo bod angen dweud rhywbeth dim ond er mwyn llenwi'r tawelwch.

O'u blaenau marchogai Bilen wrth ochr Prad, a doedd y ddau ddim wedi rhoi'r gorau i sgwrsio ers gadael Porth Oer: sgwrsio byrlymus, llawn chwerthin a thynnu coes. A bob hyn a hyn, byddent yn troi i wynebu ei gilydd a gwenu.

Maen nhw'n hapus eu byd, meddyliodd Efa. Yn hapus wrth eu gwaith, yn fodlon â'r hyn mae'r dyfodol yn ei gynnig iddyn nhw. Saethodd ton o genfigen drwyddi. Ond doedd Dalian ddim yn bles â'r sgwrsio bywiog rhwng y ddau.

'Prad!' hisiodd. 'Rydan ni i fod i ganolbwyntio ar ddiogelwch!'

Cochodd Prad, a chau ei geg yn syth. Roedd Dalian yn iawn, wrth gwrs. Doedd o ddim wedi bod yn gwylio a gwrando'n gyson fel roedd o wedi cael ei hyfforddi a'i gyflogi i'w wneud. Trodd i wynebu Dalian gan ymddiheuro dan ei wynt. Yna ymddiheurodd wrth Bilen a charlamu i flaen yr osgordd. Trodd Bilen gan roi edrychiad hyll i Dalian cyn troi yn ei hôl eto yn bwdlyd. Roedd Efa eisiau chwerthin, ond wnaeth hi ddim, dim ond dal i farchogaeth yn dawel wrth ochr Dalian.

Ar ôl oedi am ginio ysgafn, roedd Galena a'i chriw yn dechrau hel y powlenni a'r cwpanau pan gerddodd Prad at ymyl y clogwyn. Bwriadu astudio'r môr oddi tano roedd o, gwneud ei ddyletswydd a gwneud yn siŵr nad oedd unrhyw beryglon yn bygwth y fintai. Doedd dim byd ond tonnau i'w gweld ar y môr – a chriw o ddolffiniaid yn bell allan, yn neidio i mewn ac allan o'r dŵr, yn hela pysgod, siŵr o fod. Hedfanodd ambell aderyn môr heibio iddo, a gwyliodd haid o adar bychain gwyrddion yn hedfan mewn siâp V i gyfeiriad y de. Yn sydyn, clywodd sgrech. Doedd hi ddim yn sgrech glir nac yn agos, felly trodd ei ben i geisio clywed yn well. Ie, dyna ni eto – sgrech oedd hi, yn bendant. Ac roedd yn dod o rywle oddi tano.

'Hei! Mae 'na rywun i lawr fan'ma! Yn sgrechian!' gwaeddodd ar y criw oedd yn paratoi i ailgychwyn ar y daith.

Brysiodd dau neu dri o'r milwyr agosaf tuag ato.

'Sgrechian? Chlywa i ddim byd,' meddai un o'r milwyr.

'Ty'd yma, yn agosach at yr ochr,' meddai Prad, gan fynd ar ei stumog i hongian ei ben dros yr ymyl.

Ymunodd y milwyr eraill ag o, a daeth sgrech arall o'r dyfnderoedd oddi tanynt.

'Ti'n iawn. Mae 'na rywun i lawr yna!' meddai'r milwr. 'Fedri di weld unrhyw beth?'

'Dim byd ond adar,' meddai Prad.

'Falle mai aderyn sy'n sgrechian,' meddai Ala, un o ferched y fyddin.

'Na, person ydy hwnna, dwi'n siŵr,' meddai Prad. 'Sgrech plentyn, neu ferch.'

'Mi a' i i nôl Dalian,' meddai Ala, gan godi a rhedeg yn ôl at yr osgordd, a gweiddi a chwifio ei breichiau.

Brysiodd Dalian a chwech o filwyr eraill draw atyn nhw gyda'u ceffylau. Gorweddodd Dalian wrth ochr Prad, a chododd y sgrech i fyny atyn nhw, yn uwch y tro hwn.

'Helô?' gwaeddodd Dalian. 'Pwy sy 'na?'

Ond ni ddaeth ateb, dim ond sgrech arall, yn swnio fel rhywun mewn perygl go iawn.

'Fyddan nhw ddim yn gallu'n clywed ni,' meddai Prad, 'ddim dros sŵn y tonnau. Wyt ti am i mi fynd i lawr, efo rhaff?'

Oedodd Dalian. Gwyddai y dylai ymgynghori â'r Frenhines a'r Meistri, ond efallai nad oedd angen eu poeni.

'Aros funud,' meddai. 'Mae gafr yn gallu swnio fel person weithiau, a dim ond sgrechian maen nhw, yndê. Dydyn nhw ddim yn gweiddi "help", nac'dyn?' meddai.

Ac ar y gair, clywodd y milwyr sgrech arall.

'"Help" oedd hwnna yn bendant!' meddai Prad.

Cytunodd o leiaf dri o'r milwyr eraill mai dyna glywson

nhw hefyd. Doedd Dalian ddim yn siŵr, ac yna dechreuodd y sgrechian gyflymu a swnio'n fwy taer fyth.

'Mae'n rhaid i ni neud rhywbeth – rŵan!' meddai Prad.

'Ond does 'na ddim creigiau yma i osod rhaff!' meddai Dalian.

'Clyma hi'n sownd i geffyl neu ddau! Dwi ddim mor drwm â hynny, a ti'n gwybod yn iawn cystal abseiliwr ydw i. Mae gen i declyn belai ar fy melt fan hyn, yli.'

Cytunodd Dalian a gorchmynnodd i ddau o'r milwyr gael trefn ar y rhaff a'r ceffylau, gyrrodd un arall i ddweud wrth y Frenhines beth oedd yn digwydd, a phenododd Gwail, y cryfaf o'r milwyr, i ofalu am y belai. Goruchwyliodd y clymu yn y ddau ben, a rhoddodd flanced dros ymyl y clogwyn i arbed y rhaff rhag cael ei difrodi. Gwthiodd Prad ddolen o'r rhaff drwy ei felai yntau, a phan oedd pawb yn hapus fod pob dim yn ddiogel, camodd yn ei ôl.

'Na! Aros!' meddai Dalian yn sydyn. 'Gad i mi roi rhaff arall arnat ti – rhag ofn.'

Rhowliodd Prad ei lygaid. Roedd y sgrechian oddi tano yn turio drwy ei benglog ac roedd arno eisiau mynd – rŵan! Gallai Dalian weld hyn; roedd o'n nabod Prad yn rhy dda.

'Gwranda arna i, Prad,' meddai'n bwyllog. 'Mi fydd yn haws efo dwy raff, os mai person sydd i lawr yna.'

Nodiodd Prad a chlymodd Dalian ail raff arno yn gyflym, a gorchymyn i Ala glymu'r pen arall yn sownd i felai ar drydydd ceffyl. Ond waldiodd Ala bostyn cryf o'i phac i'r ddaear hefyd a chlymu dolen arall o'r rhaff yn hwnnw. Cododd ei bawd ar Dalian.

'Iawn, cofia gadw'r rhaff yn slac,' meddai yntau wrth Ala, yna trodd i wynebu Prad. 'Ffwrdd â chdi,' meddai, a gwenodd Prad arno wrth i'w ben ddiflannu dros yr ymyl. Brysiodd Dalian i gadw golwg arno drwy orwedd ar ei fol wrth y dibyn. Gallai ei weld yn bownsio'n hyderus a hawdd i lawr ochr y graig, ac yna'n oedi. Ar ôl tri deg metr, dim ond hanner uchaf ei gorff y gallai Dalian ei weld. Ac wedyn, ar ôl ugain mctr arall, dim ond ei ben. Roedd rhan uchaf y clogwyn yn ffurfio math o fargod, a'r graig islaw yn mynd am i mewn. Gallai hynny greu problemau wrth geisio tynnu Prad yn ôl i fyny, ond roedd yn ddringwr profiadol a medrus.

'Be'n union sy'n digwydd fan hyn?' meddai llais y tu ôl iddo. Y Frenhines.

'Achub rhywun,' meddai Dalian. Eglurodd y sefyllfa wrthi. Culhaodd hithau ei llygaid wrth wrando.

'Mi ddylet ti fod wedi ymgynghori efo fi yn gyntaf, Dalian,' meddai. 'Mae gynnon ni amserlen dynn ac fe allai hyn ein dal yn ôl yn arw. Yn enwedig os mai dim ond gafr sy'n gwneud y sgrechian – gyda phob parch i eifr. Ceisiwch frysio. Rydan ni'n barod i ailddechrau'r daith.'

Nodiodd Dalian. Roedd hi'n iawn, wrth gwrs. Roedd hyn yn beth dwl i'w wneud. A bellach, doedd o ddim yn gallu gweld Prad o gwbl. Roedd y sgrechian wedi dod i ben hefyd.

'Prad?' gwaeddodd dros yr ymyl. 'Wyt ti'n iawn?'

Dim byd ond cri'r adar a'r tonnau o bell. Roedd Efa wedi dod i orwedd wrth ei ochr bellach.

'Prad! PRAA-AD!' gwaeddodd hithau, a chael dim ateb.

'Syr!' meddai Gwail, y milwr ar y belai, â braw yn ei lais. 'Mae 'na rywbeth yn digwydd efo'r rhaff yma! Mae hi'n —' Baglodd yn ei flaen, yn frawychus o agos at yr ochr. 'Mae hi'n tynnu!'

'Daliwch y ceffylau!' gwaeddodd Dalian, wrth weld bod y ddau geffyl a oedd yn angori'r rhaff felai hefyd wedi cael plwc cryf. Ond roedden nhw'n llwyddo i ddal y straen, a'u marchogion yn tynnu ar y ffrwynau ac yn eu hannog.

Beth ar y ddaear oedd yn digwydd i lawr yna? Roedd angen nerth rhyfeddol i dynnu dau geffyl trwm fel yna yn eu holau, ac yn amlwg roedd rhywbeth yn pwyso llawer mwy na Prad.

Trodd Dalian i edrych ar y trydydd ceffyl oedd â'r rhaff ychwanegol yn sownd iddo. Doedd hwnnw'n symud dim, a doedd dim straen i'w weld ar y rhaff.

'Ala,' meddai, 'tynna ar y rhaff yna!' Ufuddhaodd hi'n syth, a gweld bod y rhaff yn dod i fyny yn hawdd.

'Does 'na neb ar hon, syr,' meddai.

Teimlodd Dalian ei stumog yn hyrddio a brwydrodd i'w gadw'i hun dan reolaeth. Roedd ei ben yn troi, a'i ymennydd yn saethu gwahanol negeseuon ar draws ei gilydd.

'Paid â thynnu mwy, rhag ofn y bydd ei hangen hi!' gwaeddodd wrth Ala. 'Gwail!' gwaeddodd wedyn. 'Bydd yn barod efo dy gyllell rhag ofn y bydd angen i ti dorr—'

Ond roedd yn rhy hwyr. Saethodd corff Gwail am yr ymyl ar gyflymdra hurt, ac yna diflannodd gyda sgrech. Prin y cafodd y ceffylau gyfle i weryru wrth iddyn nhw hefyd gael eu llusgo i ddilyn Gwail dros ymyl y clogwyn. Roedd eu marchogion wedi llwyddo i ollwng y ffrwynau ar yr eiliad olaf, diolch byth, a gorweddent ar eu hyd ar lawr, heb ddeall eto beth oedd wedi digwydd.

Syllodd Dalian ac Efa yn fud ar y cyrff yn diflannu. Roedd Efa'n siŵr iddi glywed sblash wrth iddyn nhw daro'r dŵr. Doedd dim gobaith i ddyn na chreadur oroesi'r fath godwm.

Bu tawelwch erchyll am yn hir, a neb yn siŵr beth i'w wneud na'i ddweud. Yna daeth y Frenhines a Morda draw atyn nhw ar gefn eu ceffylau, a Bilen yn dynn wrth eu sodlau.

'Be ddigwyddodd?' meddai'r Frenhines.

Cododd Dalian ar ei draed i geisio egluro, ond cyn iddo gael cyfle i agor ei geg daeth sŵn chwerthin milain ar yr awel ac ymddangosodd aderyn anferthol, llachar wyrdd o'u blaenau. Roedd ei big du yr un hyd â chorff Dalian a'i adenydd o leiaf deirgwaith yn hwy. Astudiodd yr aderyn y criw o'i flaen gyda'i lygaid gwyrdd tywyll, metalaidd, a symudodd yn llyfn i hofran uwchben y Frenhines. Dechreuodd agor ei big hir, du i ddangos tafod hirach, dduach, ond wrth iddo ddechrau hedfan i lawr at y Frenhines chwipiodd saeth drwy'r awyr. Plymiodd y saeth i frest yr aderyn gyda sŵn crafu erchyll. Ceisiodd yr adenydd symud unwaith, ddwywaith, ac yna disgynnodd i'r ddaear fel carreg, gan lanio wrth draed Dalian. Trodd pawb i weld o ble daeth y saeth, a gweld Ala'n sefyll yn fud, â'i bwa'n dal yn ei dwylo. Roedd corff yr aderyn yn crebachu'n araf o flaen eu llygaid, yn troi'n bentwr o lwch a mwg, ac o fewn dim, y cyfan oedd ar ôl oedd y saeth.

'Ble mae Prad?' crynodd llais Bilen.

7

Bu'n rhaid helpu Bilen i mewn i'r goets at Galena a Cara. Roedd ei sŵn udo'n brifo, yn trywanu calonnau pawb oedd yn ei chlywed yn torri ei chalon.

'Allwn ni ddim mynd hebddo fo!' wylodd. 'Mi allai fod yn fyw o hyd!'

Ond roedd y Frenhines wedi mynnu bod pawb yn gadael ar fyrder. Roedd hi a'r Meistri yn amau'n gryf mai'r Picyniaid oedd y tu ôl i'r aderyn dieflig, ac fe allai fod mwy ohonyn nhw.

'Rydan ni wedi colli dau filwr ardderchog a dau geffyl da yn barod!' meddai'r Frenhines. 'A dwi'n berffaith siŵr fod yr aderyn ar fin ceisio fy lladd i. Ymlaen i Ddostia ar unwaith!'

Roedd pen Dalian yn dal i droi. Teimlai fel cyfogi; teimlai'n euog, mor ofnadwy o euog. Neidiodd ar gefn ei geffyl a throdd eto i edrych lle gynt bu dau gyfaill da, Prad a Gwail, yn fyw, mor hynod o fyw. Roedd Ala yn dal yno, yn cydio yn ffrwynau ei cheffyl ac yn edrych ar y rhaff oedd yn dal yn sownd i'r postyn haearn yn y ddaear. Dechreuodd ymestyn i dynnu'r postyn yn rhydd, ond yna sythodd a neidio ar gefn ei cheffyl. Daliodd lygad Dalian. Gwyddai'r ddau y dylai hi roi'r rhaff a'r postyn yn ôl yn y pac offer, ond ddywedodd Dalian ddim, dim ond rhoi nòd bychan iddi a throi i ymuno â'r osgordd, oedd eisoes wedi dechrau symud.

Cyflymodd Dalian i ddal i fyny ag Efa, a oedd yn carlamu wrth ochr y goets, lle roedd udo Bilen yn dal i'w glywed dros sŵn y carnau a'r olwynion. Edrychodd y ddau ar ei gilydd.

'Nid dy fai di oedd o!' gwaeddodd Efa arno.

Roedd Dalian yn corddi. Fe ddylai fod wedi gwrthod gadael i Prad fynd i lawr y clogwyn. Fe ddylai fod wedi sylweddoli bod rhywbeth amheus am yr holl sefyllfa. Fe ddylai fod wedi ymgynghori cyn gwneud dim. Ac o'i herwydd o, roedd dau ddyn da, â'u bywydau'n llawn addewid o'u blaenau, wedi eu lladd.

Roedd y Frenhines yn iawn: byddai gyrru mwy o ddynion dros yr ymyl i chwilio am gyrff y ddau yn hurt. Wyddai neb beth oedd ar waelod y clogwyn; byddai'n rhaid aros i gael cwch o Ddostia i chwilio am eu gweddillion. Os byddai gweddillion o gwbl.

Yn fuan iawn, roedd clywed Bilen yn udo fel anifail yn dweud arno.

'Dwi am symud i'r cefn,' gwaeddodd ar Efa, ac arafu ei geffyl er mwyn i'r osgordd ei basio. Roedd Ala ymysg y milwyr yng nghynffon y fintai, a symudodd ei geffyl i garlamu wrth ei hochr hi.

'Diolch,' galwodd arni. 'Mi wnest ti'n dda.'

'Diolch,' galwodd hi'n ôl.

'Roedden ni'n lwcus dy fod ti yno, ac yn fwy effro na'r gweddill ohonon ni,' meddai Dalian.

'Digwydd sefyll ar yr ongl iawn oeddwn i, dyna i gyd,' meddai hi.

Carlamodd y ddau ymlaen gan gadw llygad barcud ar

bopeth o'u cwmpas, fel pob un o'r milwyr eraill. Roedd y sioc wedi tynhau pob cyhyr, wedi miniogi pob synnwyr. Roedd pob aderyn, pell ac agos, yn gwneud iddyn nhw dynhau eu gafael ar eu harfau, pob symudiad yn y gwair, pob awgrym o rywbeth yn y môr rhyngddyn nhw a Phica yn codi blew y gwar.

Ond cyrhaeddwyd Dostia heb ymosodiad o unrhyw fath. Roedd y Frenhines wedi gyrru negesydd i roi gwybod i'r penaethiaid beth oedd wedi digwydd, ac na ddylid rhoi croeso llawn rhwysg a rhodres dan yr amgylchiadau.

Aeth pawb i ymolchi a newid yn eu llety yn dawel a digalon ac roedd Efa ar fin mynd i gysuro Bilen druan pan sylwodd ar Dalian yn cerdded i rywle ar ei ben ei hun. Brysiodd ar ei ôl.

'Mynd am dro?' gofynnodd, gan gerdded wrth ei ochr.

'Am yr harbwr,' meddai Dalian. 'I chwilio am gwch.'

'Ond mae'n hwyr. Mi fydd hi'n tywyllu cyn bo hir.'

'Gorau po gynta y cychwynna i felly.'

'Dwyt ti ddim yn mynd ar ben dy hun,' meddai Efa.

'Wel, dwi'n bendant ddim yn mynd i fynd â'r ddarpar frenhines efo fi,' meddai Dalian.

Brathodd Efa ei gwefus. 'Cer â chydig o filwyr efo ti 'ta.'

'A rhoi bywydau mwy ohonyn nhw mewn perygl? Na.'

'Ond milwyr ydyn nhw, Dalian! Maen nhw'n disgwyl i'w bywydau fod mewn perygl yn gyson!'

'Fy nghamgymeriad i oedd o, a fy nyletswydd i ydy dod â'r cyrff yn ôl,' meddai Dalian. 'A fydda i ddim ar fy mhen fy hun – mi fydd perchennog y cwch efo fi.'

'Dalian…'

'Na, Efa. Dwi'n mynd. A cer di'n ôl – mi fydd Bilen dy angen di. A ph'run bynnag, ddylet ti ddim bod yn crwydro tref ddiarth ar ben dy hun, yn enwedig ar ôl heddiw. Plis, brysia – rŵan. Mi wna i roi gwybod i ti pan fydda i'n ôl, dwi'n addo.'

Camodd Efa yn ei blaen yn sydyn a rhoi ei gwefusau ar wefusau Dalian. Allai hi ddim peidio. Dim ond am ychydig eiliadau, ond roedd y gwres a deimlodd yn rhuthro drwy ei chorff yn codi braw arni, felly camodd yn ei hôl eto. Edrychodd Dalian yn hurt arni am sbel, yna lledodd gwên fechan dros ei wyneb.

'Diolch,' meddai, cyn troi a brasgamu at yr harbwr.

Gwyliodd hi Dalian yn sgwrsio â chriw o bysgotwyr, yna un yn nodio, ac yn arwain Dalian at gwch pysgota coch ac arian.

Brysiodd yn ei hôl at y llety, ac erbyn iddi gyrraedd ffenest ei llofft gallai weld cwch coch ac arian yn symud yn herciog ar hyd y môr, yn brwydro yn erbyn y tonnau. Ond yna, gwelodd gwch arall, llawer mwy o faint a llawer cyflymach, yn hwylio ar ei ôl. Gwyliodd yn syn wrth i'r ddau gwch gyfarfod, oedi am yn hir ac yna troi'n ôl am yr harbwr.

'Morda oedd yn y cwch mawr,' eglurodd llais y tu ôl iddi. Ei mam. 'Does gan Dalian mo'r hawl i wneud penderfyniadau fel yna, ac yn sicr does gan yr un milwr yr hawl i fynd i unlle ar ei ben ei hun. Yn waeth fyth, mi wnaeth o dy adael di ar dy ben dy hun mewn tref ddieithr. Allwn ni ddim fforddio colli Dalian; mae o'n un o'n milwyr gorau ni, ond… wel… dydy heddiw ddim wedi bod yn ddiwrnod da iddo fo, naddo?'

'Be dach chi'n mynd i'w wneud iddo fo?' gofynnodd Efa, â'i stumog yn troi.

'Heb benderfynu eto. Dim byd ar y daith, o bosib, ond mi fydd yn rhaid ei gosbi pan fyddwn ni'n ôl yn y palas. Ti'n deall hynny, dwyt, Efa?'

Rhoddodd Efa hanner symudiad i'w phen. Oedd, roedd hi'n deall eu bod nhw'n mynd i'w gosbi, ond doedd hi ddim yn deall pam roedd yn rhaid gwneud hynny. Rhaid oedd gwneud esiampl ohono, mae'n debyg; dangos beth fyddai'n digwydd os byddai rhywun yn torri'r rheolau, yn mynd yn groes i'r drefn. Ond mynd i nôl cyrff dau ffrind roedd o! A mynd ar ei ben ei hun er mwyn arbed rhoi milwyr eraill mewn perygl!

'Mae pethau fel hyn yn codi'n aml, a dydy o ddim yn hawdd,' meddai'r Frenhines. 'Ond mi fydd raid i ti ddod i arfer efo gwneud penderfyniadau anodd. Dyna be mae "rheoli" yn ei feddwl: gwneud y penderfyniadau cywir, a gallu cadw dy ben yn wyneb pob dim gaiff ei daflu atat ti, os nad ydy pawb yn cytuno. Paid byth â dangos unrhyw ansicrwydd; dyna pryd fyddan nhw'n dechrau amau ai ti ydy'r person gorau ar gyfer y swydd.'

Allai Efa ddim ei rhwystro ei hun rhag gofyn yn swta:

'Wnaethoch chi ddim dangos ansicrwydd pan oedd hi'n amser i ladd eich mam felly, naddo?'

Sythodd y Frenhines a mygu sgrech o ddicter llwyr.

'Efa…' hisiodd drwy ei dannedd, 'rwyt ti fel tiwn gron! Rho'r gorau iddi, wnei di?' A sgubodd allan o lofft ei merch, gan roi clec i'r drws wrth adael.

Cyfrodd Efa i ddeg, ac yna aeth i weld Bilen. Roedd hi yn ei llofft, wedi cyrlio ei hun yn belen ar ei gwely bychan, a Galena a Cara bob ochr iddi, yn ceisio ei chysuro ond yn amlwg ddim yn cael fawr o hwyl arni.

'Dwi'm yn gwybod be i'w ddeud wrthi,' meddai Galena yng nghlust Efa. 'Does 'na'm pwynt deud "Paid â phoeni" neu "Dwi'n siŵr ei fod o'n iawn", nag oes?'

Ysgydwodd Efa ei phen. 'Y cwbl fedran ni neud ydy bod yma iddi,' meddai. 'Dyna be sy'n bwysig.'

'Ond alla i ddim bod yma yn hir iawn. Bydd raid i mi helpu efo'r bwydo,' meddai Galena.

'Dos di,' meddai Efa. 'Titha hefyd, os lici di, Cara. Mi wna i aros efo hi.'

'Na, dwi am aros,' meddai Cara. 'Alla i ddim canolbwyntio ar unrhyw beth arall beth bynnag.'

'Na fi,' meddai Efa. 'Mi wnaeth Dalian drio mynd mewn cwch i nôl y… i nôl Prad a Gwail. Ond mi wnaeth Morda ei rwystro fo.'

Cododd Bilen ei phen yn llesg.

'Prad? Mi wnaeth Dalian drio nôl Prad?'

'Do. Dwi'n siŵr yr eith milwyr eraill yn ei le. Mae'n siŵr eu bod nhw yno rŵan.'

'Ond… pam wnaethon nhw rwystro Dalian?'

'Am ei fod o ar ei ben ei hun.'

'Rheolau…' eglurodd Cara.

'Stwffio nhw a'u rheolau dwl!' meddai Bilen yn chwyrn. 'Mi allai o fod mewn poen, yn diodde, ac maen nhw'n poeni mwy am reolau!'

'Sssh,' meddai Cara, 'paid â gweiddi...'

'Gad iddi weiddi,' meddai Efa. 'Mae ganddi hawl i weiddi.'

'Oes,' meddai Bilen, gan godi ar ei heistedd a sgrechian: 'STWFFIO NHW A'U RHEOLAU DWL!'

Doedd Efa ddim yn siŵr oedd hi eisiau chwerthin neu grio. Trodd Bilen ati yn sydyn a chydio yn ei garddyrnau. 'Efa, os fydd Prad wedi marw, ac os wyt ti o ddifri am wrthod lladd dy fam, ac os fyddan nhw'n dy alltudio di – mi ddo i efo ti, i le bynnag. Dwi'm isio aros fan hyn.'

*

Deffrodd Efa wrth i haul y bore gosi ei llygaid. Gwingodd yn boenus. Roedd hi wedi cyffio'n llwyr gan fod y tair, rywsut neu'i gilydd, wedi syrthio i gysgu ar y gwely bychan, ac roedd ei braich hi'n gaeth o dan ysgwyddau Bilen. Ceisiodd dynnu ei braich yn rhydd heb ddeffro'r ddwy arall, ond yn sydyn, ffrwydrodd Galena yn ôl i mewn i'r ystafell.

'Prad!' meddai, yn fyr ei gwynt, 'mae o'n fyw! Mae rhywun wedi dod o hyd iddo fo ar ochr y ffordd!'

8

ROEDDEN NHW WEDI mynd â fo yn syth i ysbyty Dostia. Yn
ôl Ala, un o'r rhai cyntaf i'w weld ar ochr y ffordd, roedd
yn gacen o waed o'i gorun i'w sawdl, ac wedi ymlâdd.

'Doedd o prin yn gallu siarad,' meddai. 'Fethais i ddeall
gair ddywedodd o.'

'Dim un gair?' meddai Efa.

'Wel, roedd o'n deud "rhaff" drosodd a throsodd. O leia,
dwi'n meddwl mai "rhaff" oedd o.'

'Dringo'r rhaff yn ôl i fyny wnaeth o?' gofynnodd Efa. 'Yr
un wnest ti ei gadael?'

'Am wn i.'

'Bosib mai diolch i ti oedd o, felly,' meddai Bilen. 'A dwi'n
diolch i ti hefyd. Diolch o galon, Ala! Gawn ni fynd i'w weld
o?'

Cododd Ala ei hysgwyddau. 'Dim syniad. Bydd rhaid i chi
ofyn yn yr ysbyty.'

Ond pan gyrhaeddodd Bilen, Efa, Cara a Galena fynedfa'r
ysbyty, roedd milwr yn y cyntedd yn eu rhwystro.

'Mae'n ddrwg gen i,' meddai'r milwr, 'ond dwi wedi cael
gorchymyn i beidio â gadael neb i mewn.'

'Ond – ond Efa ydy'r Dywysoges!' protestiodd Galena.

'Ddrwg gen i eto, ond mae "neb" yn cynnwys tywysogesau,'
meddai'r milwr, gan ledu ei goesau fymryn. 'Chaiff hyd yn

oed y Frenhines mo'i weld nes bydd yr arbenigwyr wedi ei archwilio, ac maen nhw'n deud y gallai hynny gymryd dyddiau.'

Ceisiodd Bilen weiddi a strancio, ond doedd dim troi ar y milwr. Bu'n rhaid i'r pedair adael yr ysbyty.

'Y snichyn styfnig,' meddai Bilen yn ddagreuol wrth iddyn nhw gerdded yn ôl am ganol tref Dostia.

'Na, chwarae teg, mae'r milwyr wedi eu hyfforddi i ddilyn cyfarwyddiadau, i ufuddhau i'r awdurdodau, doed a ddelo,' meddai Efa.

'Ond ti *fydd* yr awdurdod ymhen cwpwl o fisoedd!' meddai Galena.

'Dwi ddim mor siŵr,' meddai Efa, ac edrychodd y tair yn hurt arni. Gwelodd y byddai'n rhaid iddi ymhelaethu. 'Rhyngoch chi a fi a'r wal,' meddai'n dawel, ar ôl gofalu nad oedd neb arall o fewn clyw, 'dwi'n dechrau amau mai Morda a'r Meistri sy'n rheoli mewn gwirionedd.'

'Dwi wedi bod yn amau'r un peth ers tro,' meddai Cara, 'ond doedd gen i mo'r iau i'w ddeud o.'

'Felly... Morda sy'n deud na cha' i weld Prad?' meddai Bilen.

'Synnwn i daten,' meddai Efa.

'Wnes i rioed licio'r diawl!' meddai Bilen yn chwyrn. 'Efa! Pan fyddi di'n frenhines, dyro dy droed yn ei din o a'i hel o'n ôl o ble bynnag y doth o!'

'Fyddai dim byd yn rhoi mwy o bleser i mi, creda di fi,' gwenodd Efa, 'ond mae gen i deimlad na fydd hi mor hawdd â hynny.'

'Na fydd,' meddai Cara. 'Dwi'n cofio darllen yn rhywle ei bod hi'n orfodol i'r frenhines newydd gael ei "harwain" gan y Meistri am o leia chwe mis ar ôl cael ei choroni.'

'Rheswm arall dros beidio bod yn frenhines!' meddai Efa. 'Mi fyddai'n well gen i roi cusan i'r neidr sgarlad 'na welson ni na gorfod cydweithio efo Morda bob dydd! Mae bod yng nghwmni'r dyn am bum munud yn codi croen gŵydd arna i.'

'A Morda rwystrodd Dalian rhag mynd i nôl Prad, yndê!' meddai Bilen. 'Dwi'n ei gasáu o fwy a mwy!'

'O na… Dalian!' ochneidiodd Efa. 'Mi ddywedodd Mam y bydden nhw'n gorfod ei gosbi ar ôl mynd yn ôl i'r palas.'

'Cosbi Dalian?' meddai Galena mewn anghrediniaeth. 'O ddifri?'

'Ble mae o rŵan?' meddai Cara.

'Dim syniad. Ond dach chi am ddod efo fi i chwilio amdano fo?'

'Oes rhaid i ti ofyn cwestiwn mor wirion?' meddai Galena, gan fachu ei breichiau drwy freichiau Efa a Bilen. 'Be oedd yr hen addewid yna gawson ni'n dysgu yn blant? Rhywbeth am "mi af innau"?'

'"Ble bynnag yr ei di, mi af innau, a ble bynnag y byddi di'n byw, dyna lle y byddaf i'n byw",' meddai Cara. 'Geiriau merch o'r enw Ruth mewn hen, hen lyfr crefyddol o'r enw y Beibl. Mae 'na ambell beth oedd ynddo fo wedi goroesi ac mae'r dywediad yna'n un.'

'Wel, roedd Ruth yn swnio fel hen hogan iawn i mi,' chwarddodd Galena. 'Dowch, awn ni i chwilio am Dalian – heb ddilidalian!'

'Iawn,' meddai Bilen, 'ar un amod – rho'r gorau i drio bod yn ddigri, Galena. Dwi'n nabod Meistri sy'n fwy digri.'

'O leia mae hi wedi rhoi'r gorau i grio,' sibrydodd Galena yng nghlust Efa.

*

Roedd Dalian yn gorwedd yn swrth ar ei fatres yn llety'r milwyr, a chawson nhw mo'u rhwystro rhag ei weld. Doedd arno fawr o awydd sgwrsio, ond yn y diwedd caniataodd i'r merched ei ddenu allan i'r heulwen. Cerddodd y criw at y traeth hir, aur i'r gorllewin o harbwr tref Dostia, ac ymlwybro ar hyd y tywod yn dawedog. Doedd Dalian ddim wedi llwyddo i gysgu'r un winc. Roedd yn gweld Gwail a'r ceffylau yn saethu dros ymyl y clogwyn drosodd a throsodd, a'r aderyn gwyrdd erchyll yn troi'n llwch o flaen ei lygaid.

O'r diwedd, mentrodd Efa ofyn iddo:

'Be wyt ti'n meddwl fydd dy gosb di am drio achub dy gyd-filwyr?'

'Go brin y ca' i fy alltudio i'r Diffeithwch Du. Malu cerrig o chwarel Bryniau Drycin am sbel efallai? Neu gael fy rhoi yn y carchar am gyfnod.'

'Paid â malu!' meddai Galena. 'Dwyt ti rioed o ddifri?'

'Dyna'r gosb arferol am dorri'r rheolau,' meddai Dalian. 'Pam ddylwn i gael fy nhrin yn wahanol?'

'Oherwydd mai ti ydy un o'r milwyr gorau sydd gynnon ni!' meddai Efa.

'Ond mi wnes i benderfyniadau twp ar y clogwyn yna, yn

do? Doedd gen i ddim clem be i'w neud, waeth i mi fod yn onest. Mi ddangosodd Ala fwy o synnwyr cyffredin na fi. Ac mi ddangosodd Prad fwy o ddewrder.'

'Dangos ei hun oedd o, debyca,' meddai Bilen. 'Mae o wedi bod yn ysu am y cyfle lleia i'w brofi ei hun. Mi geith o ffasiwn lond pen gen i pan wela i o.'

'Pan weli di o? Be... ydy o'n—?'

'Does 'na neb wedi deud wrthat ti?' meddai Bilen. 'Mae o'n iawn! Wel, mae o'n fyw, o leia.'

Rhythodd Dalian arni'n hurt am rai eiliadau cyn gallu baglu geiriau o'i geg:

'Yn fyw? Prad? Ond sut?'

'Dim syniad,' meddai Efa. 'Mae o yn yr ysbyty a does neb ond "yr arbenigwyr" yn cael ei weld.'

Nodiodd Dalian. Roedd ganddo syniad go lew pwy fyddai ymysg "yr arbenigwyr".

'Be am Gwail?' gofynnodd.

Ysgydwodd y merched eu pennau. Caeodd Dalian ei lygaid am eiliad, yn flin; roedd o'n gwybod yn iawn na fyddai Gwail yn fyw, siŵr, nid ar ôl codwm fel hwnna.

'Doedd neb o'r fyddin wedi rhoi gwybod i ti fod Prad yn fyw, felly?' meddai Cara yn fyfyriol.

'Nag oedden,' meddai Dalian. 'Does 'na neb wedi deud gair wrtha i ers i mi gael fy hebrwng yn ôl o'r harbwr. Rhan o 'nghosb i, mae'n siŵr.' Roedd wedi ceisio swnio'n ffwrdd â hi, ond roedd chwerwder yn ei lais. 'Dwi'n synnu nad oes neb wedi fy rhwystro i rhag dod efo chi fan hyn, a deud y gwir.'

'O, paid ti â phoeni,' meddai Efa. 'Maen nhw'n cadw golwg arnan ni – peidiwch â sbio…'

Ond roedd pawb wedi troi i sbio cyn iddi orffen y frawddeg. Roedd hanner dwsin o filwyr yn eu dilyn, ac eraill yn eu gwylio o'r twyni.

'Mi allen nhw fod yma i dy warchod di, Efa,' meddai Dalian. 'Mi wnaethon nhw gymryd fy arfau i oddi arna i, felly dwi ddim yn cyfri fel gwarchodwr, nac ydw?'

'Fy ngwarchod i? Pam 'mod i'n teimlo eu bod nhw'n fygythiad 'ta?' meddai Efa.

'Dwi'n casáu hyn!' meddai Galena'n sydyn. 'Dwi'n teimlo fel troseddwr, a tydan ni ddim wedi gwneud unrhyw beth o'i le!'

Ar hynny, gwaeddodd un o'r milwyr y tu ôl iddyn nhw:

'Arhoswch! Yn enw'r Frenhines!'

'Wedi dod i fy nôl i maen nhw,' meddai Dalian, gan droi i'w hwynebu.

'Neu fi, am weiddi y cawn nhw stwffio eu rheolau,' meddai Bilen. 'Mae'n siŵr bod rhywun wedi 'nghlywed i.'

'Gwrandewch, cyn i ni gael ein gwahanu,' meddai Efa yn frysiog ac yn isel. 'Dwi o ddifri am beidio â bod yn frenhines. A Bilen, oeddet ti o ddifri neithiwr am fy nilyn i i lle bynnag yr a' i?'

'O'n siŵr. Os ga' i ddod â Prad efo fi.'

'Felly, y gweddill ohonach chi,' meddai Efa, 'taswn i'n cynllwynio i ddianc cyn y seremoni, fasech chi'n fodlon dod efo fi?'

'Dianc? I ble?' meddai Galena, gan wylio'r milwyr yn trotian tuag atyn nhw.

'I ble bynnag. Fasech chi?'

'Ble bynnag yr ei di, mi af innau,' meddai Cara.

'Ddoe, mi faswn i wedi deud wrthat ti i beidio â bod mor wirion,' meddai Dalian. 'Erbyn heddiw – mae'r syniad yn apelio.'

'Mi faswn i angen mwy o fanylion,' meddai Galena, 'ond… alla i ddim dychmygu bod yn hapus yma hebddach chi i gyd.'

'Iawn, dim gair am hyn yn y cyfamser,' meddai Efa wrth i'r milwyr ddod o fewn clyw.

'Dalian…' meddai milwr oedd yn amlwg yn teimlo'n chwithig, 'mi gawsoch chi orchymyn i beidio â gadael y llety. Mae'n rhaid i mi ofyn i chi ddod yn ôl efo ni – y funud yma.'

'Mae'n ddrwg gen i – chlywais i'r un gorchymyn,' meddai Dalian yn glên. 'Ond mi ddo' i'n ôl yn syth, wrth gwrs. Heb i chi orfod defnyddio'r rheina,' ychwanegodd gan amneidio at y gefynnau oedd yn clencian ar felt un o'r milwyr eraill. 'Dydd da i chi, Dywysoges.'

Wrth wylio'r milwyr yn hebrwng Dalian yn ôl i gyfeiriad y dref, meddai Galena yn gegrwth, 'Gefynnau? Roedden nhw'n mynd i roi gefynnau arno fo?'

'Wel, mae'r paranoia am y Picyniaid yn amlwg wedi ehangu,' meddai Efa. 'Rydan ni wedi dechrau mynd i amau ein gilydd rŵan hefyd.'

*

Rai oriau yn ddiweddarach, roedd Efa a'i mam ar eu ffordd i ginio swyddogol gyda phenaethiaid tref Dostia.

'Mi ddylen ni fod wedi cychwyn yn ôl am y palas drwy'r Mynyddoedd Gleision cyn gynted â phosib,' meddai'r Frenhines. 'Ond roedd Morda a finnau'n teimlo y dylen ni'n dwy dderbyn y gwahoddiad o ran cwrteisi, ac i roi mwy o amser i'r Meistri wneud ambell dasg sy'n rhaid eu gwneud cyn gadael.'

'Ambell dasg…' meddai Efa. 'Chwilio am gorff Gwail yn un peth, gobeithio?'

'Dyna enw'r milwr aeth dros y clogwyn? Wel, ie. Mae'n debyg eu bod nhw wedi dod o hyd i weddillion y ddau geffyl bore 'ma, ond nid y milwr.'

'Gwail, Mam. Pam na allwch chi ddeud ei enw o?'

'O, Efa. Does 'na'm disgwyl i mi gofio enw pob un milwr ym Melania! Beth bynnag, mae pennaeth yr arfordir yn daer bod angen dod o hyd iddo ar fyrder, rhag ofn iddo ddenu siarcod. Roedd 'na rywbeth wedi bwyta hanner y ceffylau fel roedd hi.'

Anadlodd Efa'n ddwfn. Roedd hi'n adnabod Gwail yn dda, wedi ymarfer reslo gydag o yn aml, ac roedd ganddo lais canu hyfryd. Roedd hi wedi gobeithio y byddai ei mam wedi dangos mwy o barch ato fel dyn nag fel abwyd i siarcod. Brwydrodd i gadw ei thymer dan reolaeth.

'Wela i,' meddai. 'A thasg arall fydd gwneud yn siŵr fod Prad yn iawn i deithio, dwi'n cymryd?'

'Ia, mae'n siŵr. Maen nhw'n dal i wneud profion, dwi'n meddwl.'

'Iawn… a be fydd yn digwydd i Dalian?'

Edrychodd y Frenhines ar ei merch. Roedd hi'n gwybod

yn iawn bod y ddau'n agos, ac wedi bod yn gyfeillion ers blynyddoedd.

'Gwranda, Efa,' meddai mewn llais meddalach nag arfer, 'os ydy Dalian wedi troseddu, mae'n rhaid iddo gael ei gosbi. Alla i ddim dangos ffafriaeth at rywun dim ond oherwydd ei fod yn digwydd bod yn ffrind i fy merch i. Mae dangos ffafriaeth yn beryglus i unrhyw reolwr. Dyna sut mae'r rhai sy'n cael eu rheoli yn dechrau gwylltio a chorddi. A dwi wedi llwyddo i gadw Melania yn wlad hapus, bodlon a llewyrchus yn ystod fy nheyrnasiad i.'

'Felly, wnewch chi ddim codi bys i'w helpu?' meddai Efa.

'Na wnaf, Efa; mi fydda i'n ei drin o fel unrhyw filwr arall sydd wedi torri'r rheolau. Ac mae o'n gwybod ac yn derbyn hynny – fel y dylet ti.' Ar hynny, gwenodd ac estyn ei llaw i un o'r dynion tal oedd yn cerdded tuag atyn nhw o borth neuadd y dref.

Roedd y sgwrs ar ben.

9

ROEDD Y FINTAI i fod i deithio ar hyd y Traethau Duon draw at Raina a'r dolffiniaid yn y gorllewin, ond oherwydd y 'digwyddiad anffodus' penderfynwyd y dylid newid y cynlluniau a dychwelyd drwy'r Mynyddoedd Gleision a Thref-aur.

Cymerodd y daith honno ddeuddydd, ac er cystal y golygfeydd drwy'r mynyddoedd a'r croeso a gafwyd yn Nhref-aur, doedd Efa ddim wedi mwynhau'r daith o gwbl. Roedd gorfod gwneud rhyw fân siarad gyda'i mam a'r Meistri a phwysigion Tref-aur yn troi arni. Doedd Dalian prin yn dweud gair wrth neb ac roedd hi – a Bilen yn enwedig – yn dal yn flin oherwydd na châi neb weld Prad, heb sôn am siarad ag o. Roedd wedi cael ei gludo yn un o'r coetsys offer yr holl ffordd yn ôl, gyda'r ffenestri bychain wedi eu duo a milwyr yn ei warchod bob cam. Ac roedd hi'n gwybod bod Cara'n siomedig am nad oedd amser iddi fynd i weld yr hen fodryb od oedd ganddi ar lan Llyn Llygad.

Aeth Efa yn syth i'w llofft y funud y cyrhaeddon nhw'n ôl i'r palas. Taflodd ei dillad chwyslyd, llychlyd ar y llawr a chamu i mewn i'r gawod i geisio golchi ei siom a'i rhwystredigaeth i lawr y draen gyda'r llwch a'r baw oedd wedi glynu yn ei chroen a'i gwallt.

Eisteddodd wrth y ffenest am sbel i sychu ei gwallt yn yr awel ysgafn a ddeuai o Fôr y Gogledd, ac yna clywodd gnoc ar y drws. Ochneidiodd. Doedd arni ddim awydd gweld neb heno.

'Efa? Galena sydd yma…'

Roedd Galena'n wahanol. 'Ty'd i mewn,' galwodd, a gwelodd gefn Galena'n gwthio yn erbyn y drws gan fod ganddi hambwrdd o fwyd yn ei dwylo.

'Meddwl y byddai'n well gen ti gael tamed o fwyd yn dy lofft nag i lawr yn y Ffreutur Mawr efo pawb arall,' meddai Galena.

'Rwyt ti'n fy nabod i mor dda,' gwenodd Efa. 'Wnei di aros i fwyta efo fi?'

'Wel… mae 'na ddigon i ddwy, digwydd bod, ac mae ogla'r cimwch yma wedi bod yn gwneud i mi lafoerio bob cam o'r gegin. Dwi wedi ei goginio'n berffaith, er mai fi sy'n deud.'

Eisteddodd y ddwy ar y gwely i stwffio'u hunain a llyfu a sugno sudd y cimwch oddi ar eu bodiau yn hytrach na'u golchi mewn powlen o ddŵr a lemon fel y dylen nhw, petaen nhw yng nghwmni pwysigion. Yna gorweddodd y ddwy yn ôl ar y gwely mawr i sbio ar y nenfwd.

'Mae fy stumog i'n fodlon ei byd, ond tydw i ddim,' meddai Efa. 'Mae 'mhen i'n troi fel melin wynt.'

'Dwi'n gwybod,' meddai Galena. Yna ychwanegodd mewn llais isel: 'A dwi'n gwybod be sy'n gwneud iddo fo droi hefyd. Felly pryd ydan ni'n mynd i ddianc 'ta?'

Chwarddodd Efa'n dawel.

'Wel, mae llai na deufis cyn y seremoni,' sibrydodd. 'Dwi'n mynd i ymddwyn fel angel rhag ofn i neb amau, ond yn y cyfamser mi fydd Cara a fi'n astudio'r hen lyfrau a mapiau yn drylwyr, a dwi am i ti ddechrau cadw chydig o fwydiach sych ar y slei fel bod neb yn sylwi.'

'Iawn...' meddai Galena yn araf. 'Felly rydan ni o ddifri?'

'Ydan. Wel, mi rydw i. Wyt ti? Dwi ddim am i neb ddod yn erbyn ei ewyllys, cofia. Dwi'n gwybod 'mod i'n gofyn llawer iawn ohonoch chi i gyd.'

'Efa,' sibrydodd Galena, 'chei di mo 'ngwared i mor hawdd â hynna!'

'Falch o glywed,' gwenodd Efa. 'Prad sy'n fy mhoeni i. Ydach chi wedi cael cyfarwyddyd ynglŷn â phwy sy'n mynd â bwyd iddo fo?'

'Ddim hyd y gwn i.'

'Iawn, tria di fynd â bwyd iddo fo fory – a'i holi o, os yn bosib.'

'Be am Dalian? Maen nhw'n cyhoeddi'r ddedfryd fory.'

Caeodd Efa ei llygaid am eiliad, yna sibrydodd:

'Croesi bysedd na chaiff o garchar am ddeufis felly...'

*

Y bore canlynol roedd Efa a Cara newydd ddechrau ar wers ddaearyddiaeth pan glywson nhw sŵn dwfn y gragen dro yn cael ei chwythu'n bwerus a hir o risiau'r palas: arwydd y Cyhoeddwr Swyddogol fod ganddo gyhoeddiad pwysig i'w wneud. Byddai pawb o fewn tiroedd y palas ac am filltiroedd tu hwnt yn gallu clywed sŵn pwerus y gragen yn atsain drwy'r cynteddau, i lawr i'r selerydd a thros y toeau. Canodd deirgwaith i dri chyfeiriad, i roi cyfle i bobl frysio i glywed ei neges.

Edrychodd Efa a Cara ar ei gilydd yn nerfus cyn symud at y ffenest.

Cododd llais y Cyhoeddwr yn ddwfn a grymus:

'Gwrandewch, gwrandewch, bobl Melania! Dyma gyhoeddiadau'r Frenhines! Daethpwyd o hyd i weddillion corff Gwail, Milwr 34126, yn y môr ger Dostia a chafodd ei gladdu yno ddoe. Cofiwn ei aberth dros Felania…'

Edrychodd Efa a Cara ar ei gilydd.

'Cofiwn? Anghofiwn, debyca!' poerodd Efa. 'Pam na allen nhw ddod â'i gorff o adre i —'

Ond roedd gan y Cyhoeddwr fwy o wybodaeth i'w rhannu:

'Mae'r Llys Barn wedi penderfynu fel a ganlyn: am anwybyddu rheolau'r fyddin, y ddedfryd i Dalian, Milwr 26793, yw ugain diwrnod o garchar. Ugain diwrnod o garchar i Dalian, i ddechrau yn syth.'

Aeth y Cyhoeddwr yn ei flaen gyda chyhoeddiadau eraill, ond caeodd Efa y ffenest a mynd yn ôl at y pentwr llyfrau ar fwrdd mawr y Llyfrgell.

'Dalian yn y carchar… mae'r peth yn hurt!' meddai, gan daflu cadair ar draws yr ystafell.

'Efa! Pwylla!' meddai Cara, gan frysio i godi'r gadair yn ôl ar ei thraed. 'Mi fydd Dalian yn iawn. A buan yr eith ugain diwrnod.'

'Ond dwi rioed wedi treulio diwrnod heb weld Dalian! Ac mae gynnon ni gynlluniau i'w gwneud!'

'Hisht!' hisiodd Cara. 'Ti'n gweiddi…'

Caeodd Efa ei cheg yn glep. Eisteddodd, yna cododd eto.

'Mae'n ddrwg gen i, Cara, ond alla i ddim canolbwyntio ar lyfrau rŵan. Dwi angen awyr iach. Dwi angen gwneud rhywbeth corfforol. Rhedeg. Ddoi di efo fi?'

'Rhedeg? Fi?'

'Mi neith les i ti. Ty'd. Awn ni at y traeth.'

*

Roedd y llanw ar drai, gan adael milltiroedd o dywod aur gwastad iddyn nhw redeg arno. Rhedodd Efa fel y gwynt, ei thraed noeth yn cusanu'r tywod a chyhyrau ei choesau'n cynhesu gyda phob cam. Roedd rhedeg fel hyn yn galluogi iddi ganolbwyntio ar ei chyflymdra, ar deimlad y gwynt ar ei chroen, ar symud ac anadlu'n llyfn, ac anghofio popeth arall.

Yna cofiodd am Cara. Arafodd a throi i edrych dros ei hysgwydd. Roedd hi'n bell, bell y tu ôl iddi, yn loncian yn herciog a phoenus. Gwenodd Efa a throi i redeg i'w chyfarfod.

'Ty'd 'laen, Cara,' meddai'n garedig wrthi wrth loncian wrth ei hochr. 'Pen i fyny a defnyddia dy freichiau.'

'Ond mae fy ysgyfaint i'n llosgi… ac mae gen i bigyn yn fy ochr…'

'Dwyt ti ddim wedi bod yn anadlu'n gywir, felly. Iawn, stopia. Anadla'n ddwfn. Eto. Dyro ddau fys lle mae'r pigyn a

phwysa i fyny ac i mewn. Dal ati i anadlu'n ddwfn. Dyna fo.
Gwella? Tria ymestyn chydig 'ta...'

Wrth i Cara geisio lleddfu'r boen, ystyriodd Efa ei
chynlluniau eto. Os oedden nhw am ddianc, gallai rhywun
mor anystwyth â Cara fod yn broblem. Ond allai hi ddim
gadael Cara ar ôl! Roedd hi'n gyfaill mor driw a ffyddlon, a
gymaint mwy deallus na'r un ohonyn nhw.

Wrth i'r ddwy ddechrau rhedeg eto, cyhoeddodd Efa yn
sydyn:

'Cara, dau fis sydd gynnon ni ar y mwya. Mae'n rhaid i ti
weithio ar dy ffitrwydd yn y cyfamser. Bob bore cyn brecwast,
rwyt ti a fi – a Galena a Bilen – yn mynd i redeg. Mi allwn ni
drafod yr un pryd, heb boeni bod rhywun yn ein clywed ni.'

'Rhedeg... a thrafod... yr un pryd?' tuchodd Cara.

'Ia, paid â phoeni, mi fydd 'na wahaniaeth mawr ynot ti ar
ôl dim ond wythnos, gei di weld.'

Doedd Cara prin yn gallu symud y diwrnod canlynol,
ond diolch i sesiynau tylino Bilen, llaciodd ei chyhyrau a
dechreuodd y pedair redeg yn ddeddfol bob dydd. Doedd
Galena ddim wedi croesawu'r drefn foreol newydd ar y
dechrau chwaith:

'Dwi'n casáu rhedeg! Mae pob dim yn bownsio!'

'Wel, mi fydd 'na lai ohonot ti i fownsio cyn bo hir,' oedd
ateb Bilen.

Roedd Bilen yn heini (roedd angen iddi fod yn heini er
mwyn tylino cyrff pobl am oriau), ac roedd hi'n croesawu'r
cyfle i osgoi meddwl am Prad. Roedd Galena wedi llwyddo i
fynd â bwyd iddo unwaith neu ddwy,

'... ac mae o'n edrych yn berffaith iach i mi. Golwg flinedig arno fo, cofia, ac mae 'na warchodwyr wrth y drws bob amser. Ches i ddim siarad efo fo, ond dwi'n cael winc gynno fo bob tro.'

'Iawn. Heno, mi wna i bwynt o holi Mam pryd gaiff o ei ryddhau,' meddai Efa. 'Mae o'n ffrind i mi, wedi'r cwbl, a dwi i fod i gael fy nghoroni mewn chwech wythnos. Mae'n hurt eu bod nhw'n cadw pethau mor gyfrinachol.'

'Wel, mi fedri di newid pethau unwaith i ti gael dy goroni,' meddai Bilen gyda gwên. Ond er iddi wneud ei gorau, allai Efa ddim gwenu'n ôl arni.

*

Arhosodd Efa i'w chwiorydd bychain adael y bwrdd swper yn rhes ufudd. Roedd hi wastad yn falch o'u gweld yn mynd i'r ystafell chwarae gyda'u morynion; doedd ganddi ddim llawer o amynedd gyda'u holi a'u swnian plentynnaidd ar y gorau, a llai fyth heno. Gwyddai ei bod hi'n bod yn annheg; roedd hithau wedi bod yr un mor hurt a phlentynnaidd ar un adeg, gwaeth os rhywbeth, ond roedd hynny'n teimlo mor bell yn ôl bellach. Wyth oed oedd hi pan ddeallodd hi'n iawn am y tro cyntaf bod disgwyl iddi fod yn frenhines ymhen wyth mlynedd arall. Gallai gofio'r sioc fel ddoe. Roedd hi wedi gollwng cwpan o laeth gafr ar lawr yr ystafell fwyta, y llaeth wedi ffrwydro dros ei choesau a'r cwpan wedi malu'n rhacs, a'i mam wedi ei dwrdio'n flin.

'Be sy'n bod arnat ti'r ferch wirion? Oeddet ti ddim wedi deall mai ti fydd y Frenhines ar fy ôl i?'

Roedd Efa wedi ysgwyd ei phen yn fud wrth i'r morynion frysio i lanhau'r llanast o'i chwmpas hi.

'Ddim – ddim go iawn, na.'

'Wel rwyt ti'n gwybod "go iawn" rŵan! Nefoedd fawr, mae'n amlwg bod raid i mi gael tiwtor newydd i ti. Os nad oedd o wedi gallu dysgu'r un ffaith fach syml yna i ti…!'

Doedd yr Efa fach wyth oed ddim wedi meiddio dweud ei fod o wedi cymryd yn ganiataol mai lle ei mam oedd trosglwyddo'r wybodaeth honno iddi. Roedd ei byd bach bodlon wedi newid yn llwyr o hynny ymlaen, wrth feddwl am y pwysau fyddai arni.

A dyma ni, roedd hi bron yn un ar bymtheg bellach, a doedd ganddi ddim ofn holi ei mam am Prad. Roedd ganddi hawl cael gwybod.

Oedodd y Frenhines cyn ateb ei merch. Chwaraeodd gyda'i gwydr neithdar am rai eiliadau, ei hewinedd hirion yn tincial ar y gwydr. Yna cododd ei phen.

'Mi wnes i holi yn ei gylch o heddiw, fel mae'n digwydd. Mae o'n ymddangos yn iach, ac mae'n debyg nad ydy o'n cofio dim am yr hyn ddigwyddodd iddo fo wedi iddo fynd o'ch golwg chi. Dydy o ddim yn cofio gweld unrhyw aderyn gwyrdd chwaith, felly dydan ni fawr callach ar ôl dyddiau o'i holi.'

'Be? Ei holi o oeddech chi? Nid poeni am ei iechyd o?'

'Hynny hefyd, wrth reswm,' meddai'r Frenhines gyda hanner gwên. 'Ond mae'r profion i gyd yn glir felly wela i ddim rheswm dros beidio â'i ryddhau o. Mi gaiff ddychwelyd at ei ddyletswyddau fory.'

'Felly dach chi am ei ryddhau o rŵan? Heno? Iddo fo gael cyfle i ddod i drefn eto?' meddai Efa yn syth.

Crychodd y Frenhines ei gwefusau.

'Mi fyddai hynny'n gwneud synnwyr. Gad i mi ddeud wrth Morda, wedyn efallai y cei di ei weld o'n nes ymlaen.'

'Ieee! Diolch, Mam!' meddai Efa, â'i llygaid yn dawnsio. 'Ga' i fynd i ddeud wrth Bilen?'

Nodiodd y Frenhines ei phen gyda gwên. Sylweddolodd, wrth wylio ei merch yn dawnsio drwy'r drws fel petai hi'n blentyn chwech oed eto, mai dyna'r tro cyntaf ers tro byd i Efa ddiolch iddi. Roedd yn deimlad braf.

*

Ddwy awr yn ddiweddarach, roedd Bilen a Prad ym mreichiau ei gilydd yn yr ardd, ac Efa, Galena a Cara yn cael trafferth gwybod ble i edrych.

'O, rho fo i lawr, Bilen; mi fyddi di wedi bwyta'r creadur,' meddai Galena yn y diwedd.

Cododd Prad ei ben gan wenu.

'Dwi'm yn cwyno,' meddai. 'Dwi wedi colli hyn yn ofnadwy, does gynnoch chi ddim syniad.'

'Colli hyn?' meddai Bilen. 'Colli hon ti'n ei feddwl, ia?'

'Ia siŵr, fy mlodyn tlws i,' meddai Prad gan sodro ei wefusau ar ei cheg hi eto fyth.

'O, blyyy!' meddai Galena. 'Oes 'na fwced yn agos?'

'Iawn!' chwarddodd Efa. 'Digon! Ga' i gynnig ein bod ni'n mynd am dro bach? Achos 'dan ni i gyd wedi gweld ei golli o 'sti, Bilen…'

'Am dro?' meddai Prad yn ddryslyd. 'Pam fydden ni isio – aw!'

Roedd Bilen wedi rhoi brathiad bychan i'w wefus ac yn gwneud llygaid arno i gau ei geg.

'Syniad gwych!' meddai hi. 'I'r traeth, ia? I ti gael ymestyn dy goesau, Prad. Mae'n siŵr fod angen yr ymarfer arnat ti ar ôl bod yn sownd o fewn pedair wal cyhyd…'

'Be am redeg i'r traeth?' meddai Cara.

'Rhedeg? Cara?' meddai Prad, gan godi ei aeliau. 'Ers pryd?'

'Jyst ty'd!' chwarddodd Cara, gan saethu i ffwrdd cyn i'r lleill gael cyfle i gymryd cam.

'Mae ei phlorod hi wedi clirio hefyd,' chwarddodd Bilen.

Wrth redeg tuag at y traeth, gwelodd Efa filwyr yma ac acw ar furiau'r palas yn gwylio pob symudiad.

'Tria ddal Cara, Prad!' gwaeddodd, a saethodd yntau i ffwrdd yn syth, fel bod Bilen yn rhydd i Efa loncian wrth ei hochr.

'Ddoist ti o hyd i unrhyw beth?' gofynnodd iddi.

'Dim byd,' meddai Bilen. 'Os oedd 'na declyn gwrando arno, mae o yn rhywle ar wair yr ardd rŵan…'

Gwenodd y ddwy ar ei gilydd a chyflymu i ddal y lleill.

*

Roedd y ffaith fod Dalian yn y carchar yn newydd i Prad. Roedd wedi rhoi'r gorau i loncian yr eiliad ddeallodd o hynny.

'Ddywedon nhw ddim gair am hyn wrtha i! Dwi methu credu'r peth. Carcharu Dalian? Am drio dod i fy achub i? Mi faswn i wedi rhoi medal i'r boi!'

'Dal ati i redeg!' hisiodd Efa. 'Maen nhw'n dal i'n gwylio ni.'

Brwydrodd Prad i ddechrau rhedeg eto, ond roedd yn gegrwth.

'Mi fydd allan ymhen chydig dros wythnos,' meddai Galena, oedd wedi dechrau anadlu'n drwm a rhedeg yn flêr. 'Yn gyhyrau i gyd ar ôl bod yn chwalu cerrig Bryniau Drycin. O – sori – gawn ni gerdded rŵan, plis. Dwi bron â marw.'

'Iawn,' meddai Efa, 'ond daliwch i edrych fel tasen ni'n cael sgwrs hamddenol.'

Arafodd pawb yn ddiolchgar. Roedd Prad wedi hen sylweddoli ei bod hi braidd yn rhy fuan i'w gorff redeg yn bell.

'Oeddet ti'n gwybod am Gwail 'ta?' gofynnodd Cara, wedi iddi gael ei gwynt ati.

'Ges i wybod ddoe ei fod wedi ei ladd,' meddai Prad. 'Ond tan hynny doedd gen i ddim clem. Welais i mo'no fo'n disgyn na dim. Y creadur – a fy mai i oedd y cyfan... Taswn i ddim wedi bod mor benstiff —'

'Damwain oedd hi,' meddai Bilen.

'Ond fi ddylai fod wedi 'nghladdu!' ochneidiodd Prad, gan godi ei ddyrnau mewn rhwystredigaeth.

'Prad, paid â dangos dy emosiynau mewn ffordd mor gorfforol,' rhybuddiodd Efa. Brwydrodd Prad i ymlacio.

'Ddrwg gen i,' meddai. 'Ro'n i'n gwybod y bydden nhw'n dal i gadw golwg arna i. Maen nhw wedi bod yn fy holi a fy holi, ddydd a nos, fel taswn i'n fradwr. Ond y cwbl allwn i ddeud oedd nad oedd gen i syniad be ddigwyddodd. Dwi'n cofio abseilio i lawr y clogwyn a dros y bargod. Mi wnes i arafu wedyn gan nad o'n i'n gallu cyffwrdd y graig efo 'nhraed, ac roedd y sŵn sgrechian yn dod yn nes ond allwn i ddim gweld unrhyw un. Dwi'n cofio poeni 'mod i'n mynd i redeg allan o raff pan ges i glec gan rywbeth nes ro'n i'n troi fel deilen mewn corwynt. Dwi'n cofio poen erchyll yn saethu drwy 'nghorff i gyd – a dyna fo. Dyna'r cwbl dwi'n ei gofio… Nes i mi ddod ataf fy hun mewn pwll o ddŵr a gwymon ar waelod y clogwyn. Doedd fy mhen i ddim yn y dŵr, diolch byth, neu mi faswn i wedi boddi. Ond ro'n i'n waed ac yn brifo drosta i. Dwi ddim yn cofio gweld corff Gwail nac unrhyw geffyl na dim, ac roedd rhywbeth wedi torri drwy fy rhaff abseilio i. A deud y gwir, roedd 'na olwg fel petai hi wedi cael ei llosgi; roedd pen y stwmpyn oedd yn dal yn sownd i mi yn ddu.'

'Sut ar y ddaear wnest ti lwyddo i ddringo'n ôl i fyny 'ta?' gofynnodd Bilen.

'Ro'n i'n gallu gweld bod y rhaff arall, y rhaff ddiogelwch, yn hongian i lawr yn rhydd, ond yn bell uwch fy mhen i. Ro'n i'n meddwl ei bod hi ar ben arna i, yn enwedig gan fod y llanw'n dod i mewn, ond wedyn mi wnes i sylwi ar ddarn o froc môr go solat yn sownd mewn craig. Rywsut neu'i gilydd, mi lwyddais i dynnu hwnnw'n rhydd a gorwedd a nofio ar hwnnw nes i'r tonnau fy nghodi i. Mi fethais y rhaff droeon, a jyst â chael fy rhwygo'n rhacs yn erbyn y clogwyn, ond o'r diwedd mi ges afael ar y pen a'i glymu yn sownd ynof fi. Wedyn, dwi ddim yn siŵr sut, ond mi lwyddais i ddringo i fyny'r rhaff nes 'mod i'n gallu cyffwrdd y graig. Roedd fy mreichiau i'n sgrechian erbyn hynny, ond roedd 'na silff fechan i mi gael hoe arni am chydig, diolch byth. Wedyn mi fues i'n crafangu a llusgo fy hun i fyny, efo 'nwylo, 'nghoesau, fy ngên hyd yn oed, nes i mi gyrraedd y top. Roedd hi wedi tywyllu erbyn hynny a dwi'n meddwl i mi lewygu neu gysgu neu rywbeth am sbel. Mater o gerdded yn ôl am Ddostia oedd hi wedyn.'

'O, Prad!' meddai Bilen, gan sefyll ar flaenau ei thraed i roi cusan ar ei foch. 'Ti'n anhygoel!'

'Ha. Diolch. Ond yn anffodus, dyna roedd Morda'n ei feddwl hefyd. Dwi'm yn meddwl iddo fo gredu gair ddwedais i.'

10

'WEL, RYDAN NI'N credu bob gair,' meddai Efa, 'a rŵan, mae gen i rywbeth pwysig i ofyn i ti ac mi fydda i'n deall yn iawn os byddi di'n gwrthod.'

'Fydda i ddim,' meddai Bilen.

'Bilen! Dydy hynna ddim yn deg!' meddai Galena.

Agorodd llygaid Prad fel powlenni cawl pan glywodd am y cynllun.

'Dach chi o ddifri?' meddai'n llesg.

'Ydan. Dydy hi ddim isio bod yn frenhines a dydan ni ddim isio byw dan orthrwm hen grinc fel Morda,' meddai Bilen.

'Rydan ni am chwilio am fyd sydd well,' meddai Cara, 'a dechrau cymdeithas newydd, decach. Ond… mi fydd angen dynion ar gyfer… wel, wsti…'

'O, dwi'n gweld,' meddai Prad.

'Hei! Soniodd neb am hynna!' meddai Bilen yn syth. 'Fi bia Prad! Efa, dwed wrthi!'

''Dan ni'n siŵr o ddod o hyd i bobl eraill ar y daith,' meddai Efa, 'felly does dim angen poeni am bethau felly rŵan. Ond y sefyllfa ydy: mae Dalian am ddod efo ni – neu mi roedd o, o leia. Ac mae'n rhaid i ni ddianc cyn y seremoni.'

'Sydd ymhen rhyw chwech wythnos,' meddai Galena. 'Felly mi fydd 'na dipyn o waith paratoi a chynllunio. Wyt ti efo ni?'

'Ym…' Edrychodd Prad o un pâr o lygaid i'r llall. Roedd ei ben yn troi. 'Mae hyn i gyd wedi dod fel tipyn o sioc. Ga' i amser i feddwl am y peth?'

'Na chei!' meddai Bilen a Galena.

'Cei,' meddai Efa.

'Iawn, ond cofia sut y bydd pobol yn dy drin di o hyn allan, Prad,' meddai Bilen. 'Os nad oedd Morda yn dy gredu di…'

'Nid y fo fydd yr unig un, yn sicr,' meddai Cara. 'Fel'na mae pobol, yn credu nad oes mwg heb dân.'

'Fydd dy gyd-filwyr yn gallu ymddiried ynot ti o hyn allan?' meddai Galena.

Doedd Prad ddim yn gwybod beth i'w ddweud. Roedd o wedi troi'n welw.

'Gwell i ni droi'n ôl,' meddai Efa. 'Mi fydd yn tywyllu toc. Meddylia am y peth dros nos, a thrwy'r dydd os lici di. Ond —'

'Paid â deud wrth neb!' meddai Bilen.

'Wna i ddim, siŵr,' meddai Prad.

*

Chafodd Prad fawr o gwsg y noson honno. Roedd popeth yn troi a throi yn ei ben. Roedd ei ddyfodol wedi bod mor glir a llawn addewid erioed; roedd wedi mwynhau pob eiliad o'i fywyd fel un o Warchodwyr y Palas, a chyfeillgarwch ei gyd-filwyr. Roedd wedi credu y byddai ei fywyd yn parhau fwy neu lai yr un fath nes iddo orfod ymddeol, yn union fel ei rieni a'i nain a'i daid, a neiniau a theidiau'r rheiny, ac yn ôl am genedlaethau. Roedd teulu Prad yn filwyr i'r carn erioed, yn weithgar, yn ddewr ac yn ffyddlon i'r Frenhines. Ond roedd y cyfan wedi ei droi ar ei ben a thu chwith allan rŵan.

Byddai dianc i rywle efo Efa a'r criw yn golygu ffarwelio â'i yrfa addawol, ffarwelio â Melania, a ffarwelio am byth â'i gyfeillion yn y fyddin a'r palas; pobl roedd o wedi tyfu i fyny efo nhw. Ond roedd yr un peth yn wir i Efa, Bilen a'r gweddill.

Mae'n rhaid ei fod wedi syrthio i gysgu yn y diwedd, gan iddo gael ei ddeffro gan sŵn y milwyr oedd yn rhannu'r un ystafell wely hir ag o, yn symud o gwmpas ac yn newid. Roedd hi'n braf dod yn ôl i normalrwydd a wynebau clên ei gyd-filwyr eto.

'Su'mae, hogia! Bore da!' meddai, gan ymestyn ei freichiau uwch ei ben. Aw. Roedd ei asennau'n dal i frifo. Cafodd ambell 'Su'mae' yn ôl, ond nid y croeso cynnes, swnllyd roedd o wedi ei ddisgwyl. Ond chwarae teg, meddyliodd, doedd pawb ddim yn siriol y peth cyntaf yn y bore. Cododd a mynd i'r ystafell molchi, lle cyfarchodd ei gyfeillion eto.

'Ew, braf bod yn ôl, cofiwch!' meddai, gan gamu i mewn i'r ystafell gawod fawr lle roedd hanner dwsin eisoes yn sefyll o dan y dŵr hyfryd, cynnes. Ai dychmygu oedd o, neu a oedd y ddau oedd agosaf ato wedi brysio i orffen molchi? Wnaeth o ddim aros yn y gawod fwy nag oedd raid, a cherddodd yn ôl at ei wely i newid i wisg milwr glân. Roedd y gweddill yn osgoi edrych arno, yn osgoi dal ei lygad, ac roedd y diffyg sgwrsio a thynnu coes arferol yn amlwg.

Teimlai'r awyrgylch yn oer ac annifyr. Roedd pawb fel

petaen nhw ar frys garw i adael. O fewn dim, roedd Prad ar ei ben ei hun yn yr ystafell hir, gyda'r rhesi o welyau mud a thaclus yn rhythu'n flin arno. Felly, roedd y merched yn iawn – doedd ei gyd-filwyr ddim yn ymddiried ynddo bellach. Oedden nhw'n ei feio am farwolaeth Gwail? Neu oedd rhywun wedi bod yn codi amheuon, yn rhaffu celwyddau amdano, oherwydd iddo gael ei holi cyhyd?

'Ond wnes i ddim byd, a welais i ddim byd!' gwaeddodd ar y gwelyau mud. Eisteddodd ar ei wely a phendroni'n dawel am rai munudau, yna cododd yn sydyn a cherdded allan i'r heulwen. Roedd o'n filwr, ac roedd ganddo waith i'w wneud. Doedd o ddim yn mynd i lyncu mul a gadael iddyn nhw ei drin fel hyn.

Roedd pawb allan ar y maes ymarfer fel arfer, ac Efa yn eu mysg. Hi oedd yr unig un i gydnabod Prad, a hi oedd yr unig un wnaeth redeg wrth ei ochr yn ystod y cynhesu i fyny.

'Dwi'n cael fy nhrin fel taswn i'n dalp o faw ci,' meddai wrthi rhwng ei ddannedd.

'Ro'n i wedi sylwi,' meddai Efa. 'Anwybydda nhw.'

Ond haws dweud na gwneud. Ar ôl gorffen rhedeg, cydiodd mewn cleddyf pren a chwilio am un o'i bartneriaid arferol – Rhawn neu Elwy efallai? Ond roedden nhw'n hynod brysur yn cleddyfa efo partneriaid eraill. Yna gwelodd fod Brân yn ddibartner. Aeth ato gyda gwên.

'Ddrwg gen i, dwi'n mynd i ymarfer fy mwa a saeth,' myngialodd hwnnw'n syth.

'Aros funud,' meddai Prad. 'Be sy'n mynd 'mlaen yma? Ydw i'n drewi neu rywbeth?'

Ond roedd Brân wedi ei heglu hi, gan esgus nad oedd wedi clywed.

'Ydw i'n ddigon da?' meddai llais Efa y tu ôl iddo. Diolch byth.

Wedi hanner awr dda o gleddyfa caled, cyflym, roedd y ddau'n chwys diferol.

'Wel, roeddet ti ar dân yn fan'na!' chwarddodd Efa wrth gwympo'n swrth ar wal isel i yfed dŵr.

'O'n, ro'n i'n berwi,' meddai Prad yn dawel. 'Dwi'n dal i ferwi. A'r ateb i dy gwestiwn di ydy… dof!'

*

Pan gafodd Dalian ei ryddhau edrychai'n deneuach ac roedd cysgodion tywyll o dan ei lygaid, a chyhyrau ei freichiau yn fwy amlwg.

'Mae malu cerrig wedi gwneud byd o les i ti, dwi'n gweld,' meddai Prad wrtho, gan ei gofleidio'n gadarn. Doedd y ddau ddim wedi gweld ei gilydd ers i Prad ddiflannu dros y clogwyn.

'Mae'n dda dy weld di, Prad,' meddai Dalian. 'A finnau wedi meddwl dy fod ti'n gelain.'

'Mi gymerith fwy na hynna i gael gwared ohona i!' gwenodd Prad.

Tri o'r criw oedd wedi mynd i'w gyfarfod wrth allanfa'r carchar: Prad, Efa a Bilen. Neidiodd Bilen ato a'i gofleidio'n syth, ond daliodd Efa ei hun yn ôl. Teimlai'n swil fwyaf sydyn.

'Helô, Efa,' meddai Dalian.

'Helô,' meddai hithau.

'O, dyro gwtsh iddo fo, neno'r dduwies!' meddai Bilen, gan ei gwthio tuag ato.

Felly cofleidiodd y ddau yn drwsgl, a tharodd Efa ei phen yn erbyn ei ên yn y broses.

'Aw...' meddai'r ddau yr un pryd, ac yna chwerthin yn lletchwith.

'Felly, be dwi wedi ei golli tra o'n i'n malu cerrig a byw ar gawl esgyrn pysgod?' meddai Dalian.

'Wel, yn un peth, dwi'n bendant yn dod efo chi,' meddai Prad.

'Da iawn, dwi'n falch,' meddai Dalian, gan edrych arno gyda diddordeb. 'Be wnaeth i ti benderfynu hynny?'

'Siom, yn fwy na dim,' meddai Prad yn syml. Aeth yn ei flaen i egluro sut yr oedd wedi cael ei drin ers dychwelyd o'r clogwyn.

Nodiodd Dalian wrth wrando.

'Ac mae'n debyg dy fod titha'n teimlo rhyw fymryn o siom oherwydd y ffordd rwyt ti wedi cael dy drin ganddyn nhw...' meddai Prad.

Dim ond codi ei aeliau a rhoi hanner gwên wnaeth Dalian.

Yna cafodd wybod am y sesiynau rhedeg, a bod Efa a Prad wedi bod yn hyfforddi'r lleill yn dawel bach i amddiffyn eu hunain ac i ddefnyddio bwa a saeth.

'Mi fuon ni'n dringo chydig ddoe,' meddai Bilen. 'A dwi wedi bod yn paratoi pecynnau teithio i ni, a Galena yn hel bwydiach, ac mae Efa a Cara wedi bod yn ymchwilio a chynllunio…'

'O?' meddai Dalian. 'Felly, ble dach chi am fynd â ni?'

''Dan ni ddim wedi penderfynu'n bendant eto,' meddai Efa yn lletchwith. 'Mae wedi bod yn anodd.'

'Wel, mi ddysgais i ambell beth diddorol gan fy nghyd-garcharorion,' meddai Dalian. 'Felly, ga' i ddod i'r cyfarfod cynllunio nesa?'

'Cei, â chroeso,' gwenodd Efa. 'Dwi'n cyfarfod Cara dros ginio, fel mae'n digwydd. Ty'd am bryd o fwyd efo ni – dwi'n addo na fydd 'na gawl esgyrn pysgod ar ei gyfyl o.'

*

Doedd Efa erioed wedi gweld neb yn bwyta mor gyflym. Chwarddodd Cara a hithau wrth wylio Dalian yn cau ei lygaid a phwyso'n ôl ar y tywod gydag ochenaid o bleser pur.

'Roedd hwnna'n… arallfydol,' meddai, gan dorri gwynt, ac ymddiheuro'n syth.

'Alla i ddim addo bwyd fel'na i ti pan fyddwn ni wedi gadael,' meddai Efa'n dawel. Roedden nhw wedi dod â phicnic wedi ei baratoi gan Galena i'r traeth, ymhell o glyw neb, ond roedd hi'n dal yn ofalus.

'Fedri di ddim addo bwyd i ni o gwbl,' gwenodd Dalian. 'Rŵan, y cynllun 'ma. I ba gyfeiriad dach chi am fynd â ni?'

'Wel, dim ond ffŵl fyddai'n mentro i ganol Pica,' meddai Cara. 'Mae'r Diffeithwch Du allan ohoni am resymau amlwg, a does neb yn siŵr be sydd i'r gogledd am nad oes neb wedi dod yn ôl o unrhyw fordaith i fan'no chwaith. Ond mae 'na ynysoedd bychain yn y de, yn does?'

'Roedden ni'n meddwl cael gafael ar gwch a llenwi hwnnw efo bwyd a hadau ac offer garddio a physgota,' meddai Efa, 'a gobeithio gallu creu bywyd i ni'n hunain ar un o'r ynysoedd hynny.'

'Maen nhw mor bell i ffwrdd, does gynnon ni fawr o syniad sut ynysoedd ydyn nhw na be sydd arnyn nhw,' meddai Cara. 'Mi ddois i o hyd i hen ddogfennau oedd yn sôn bod 'na fwystfilod rheibus yno, ond dwi'n siŵr mai chwedlau i rwystro pobl rhag mentro gadael Melania oedd rheiny.'

'Diddorol…' meddai Dalian. 'Felly, dyna'r cynllun?'

'Hyd yma, os nad oes gen ti rywbeth gwell i'w gynnig?' meddai Efa.

'Wel, roedd un o 'nghyd-garcharorion i'n honni ei fod o wedi bod i'r Diffeithwch Du,' meddai Dalian. 'A bod 'na bobl yn byw yno yn dawel bach ers canrifoedd.'

'Be? Dydy hynny ddim yn bosib!' meddai Cara. 'Does 'na neb wedi dod yn ôl o'r Diffeithwch Du yn fyw!'

'Wel, mi wnaeth hwn. Ac onid ydy hi'n bosib bod pobl sydd wedi cael eu halltudio yno yn penderfynu aros yno, am fod bywyd yn well?'

Edrychodd Efa a Cara ar ei gilydd yn hurt.

'Ond mae'r lle'n ddiffeithwch llwyr!' meddai Cara. 'Yn ddim byd ond llosgfynyddoedd a cherrig, a dim byd yn tyfu yno!'

'Mae hynny'n wir am yr arfordir rydan ni'n ei weld,' meddai Dalian, 'ond mae'n rhaid bod rhywbeth y tu draw i'r rheiny. Mi ddywedodd y dyn yma fod 'na olwg reit iach ar y bobl welodd o yno.'

'Oedd ganddo fo brawf o hynny?' gofynnodd Efa.

'Nag oedd. Ond ro'n i'n ei gredu o.'

'Sut aeth o draw yno a dod yn ôl?' gofynnodd Cara. 'Mae gwylwyr y glannau'n cadw golwg barcud ar bob cwch, ddydd a nos.'

'Doedd ganddo fo 'run cwch,' gwenodd Dalian. 'Mae o'n deud bod rhyd yn croesi'r holl ffordd o Borth Oer draw i'r Diffeithwch Du.'

'Rhyd? Be? Rhes o gerrig camu yn y môr?' meddai Cara gyda dirmyg yn ei llais.

'Dydyn nhw byth yn dod i'r golwg, ond maen nhw yno, dan yr wyneb, medda fo. A phan fydd y llanw ar ei isaf, ddeuddydd ar ôl lleuad lawn, fis Medi a fis Mawrth, mae modd cerdded ar draws.'

'Yr holl ffordd? Ond pa mor hir mae'r llanw'n aros yn isel?' gofynnodd Efa, gan deimlo'i chalon yn curo'n gyflymach.

'Am ryw ddeuddeg awr.'

'Ac wedyn?'

'Mae'r llanw'n dod yn ôl i mewn yn uwch nag arfer.'

Edrychodd y tri ar ei gilydd.

'Dwi newydd gofio rhywbeth arall,' meddai Cara. 'Dach chi'n cofio'r dyn 'na ym Mhorth Oer yn sôn am y Brathwyr Bodiau? Sy'n cuddio yn y tywod dan y dŵr ac yn brathu'ch bodiau chi i ffwrdd? A'r Morgwn Milain, sy'n ofnadwy o wenwynig!'

'A'r pethau helicopar 'na efo ceg fel llif!' meddai Efa.

'Helicoprion,' meddai Cara. 'Math o siarc efo dannedd ar ffurf olwyn. Dwi bron yn siŵr 'mod i'n cofio darllen yn rhywle bod 'na bethau fel'na o gwmpas yn y Cyfnod Mesosöig, pan oedd—'

'Felly, os na fyddwn ni'n boddi,' torrodd Efa ar ei thraws, 'mi fyddwn ni un ai'n colli bodiau'n traed, neu'n cael ein gwenwyno, neu'n cael ein llifio'n ddarnau – neu'r tri…'

'Y cwbl fedra i ddeud ydy bod y dyn yma wedi gallu croesi'n ôl ac ymlaen yn berffaith ddiogel,' meddai Dalian.

'Ond gest ti weld ei draed o?' gwenodd Efa.

'Naddo, erbyn meddwl,' gwenodd Dalian yn ôl.

Gwgodd Cara ar y ddau.

'Dach chi'ch dau wedi penderfynu'n barod, yn do?' meddai. 'Dach chi isio mentro dros y rhyd 'ma, tydach?'

Edrychodd Efa a Dalian ar ei gilydd, yna troi at Cara a nodio.

'Yn y tywod roedd y pethau brathu bodiau yna, yndê?' meddai Dalian. 'Ar hyd rhyd o gerrig fyddwn ni'n mynd, cofia.'

'Ac mi allen ni wisgo sgidiau efo blaenau caled, rhag ofn…' meddai Efa.

Rhowliodd Cara ei llygaid.

'Iawn, y rhyd o Borth Oer amdani felly,' meddai Cara, 'ac os ydy fy syms i'n iawn, mi fydd hi'n lleuad lawn bryd hynny.'

11

ER NA WNAETHON nhw ei hatgoffa am y Brathwyr Bodiau na'r Morgwn Milain na'r Helicoprion, doedd Bilen ddim yn hapus efo'r syniad o gerdded drwy'r môr.

'Os bydd hi'n cymryd mwy na deuddeg awr i groesi, mi fydd rhaid i ni nofio,' meddai, 'a dwi'n nofio fel carreg.'

'Gwersi nofio bob bore o hyn allan felly,' meddai Efa.

'Mi fydda i angen mwy o amser na hyn i ddysgu nofio'n iawn, siŵr!'

'Tydw i ddim yn nofwraig gref iawn chwaith, a bod yn onest,' meddai Galena, 'ond dwi'n gallu arnofio'n weddol.'

'Gwersi nofio i'r ddwy ohonoch chi, felly,' meddai Efa, 'gan ddechrau heno, yn yr afon. Mi fydd yn haws na'r môr.'

'Ond mae'r ymarfer ar gyfer y seremoni heno!' meddai Bilen.

'Drapia. Ro'n i wedi anghofio. Iawn, yn hwyrach felly, ar ôl yr ymarfer.'

*

Ond bu'n ymarfer hir a chymhleth. Roedd rhaid mynd drwy bob un symudiad gyda phob un o'r milwyr a phob aelod o'r côr a phob un o'r Meistri, heb sôn am y dawnswyr a'r drymwyr, a doedd neb yn y lle cywir ar yr adeg gywir y tro cyntaf na'r ail – na'r trydydd. Erbyn i Efa orfod mynd drwy fosiwns trosglwyddo'r goron efo'i mam, roedd hi wedi colli ei hamynedd yn llwyr.

Cododd y Frenhines ei breichiau a thynnu ei choron oddi ar ei phen gan ddatgan mewn llais uchel a chlir:

'Rhoddaf i ti fy nghoron, fy ngwlad a fy mywyd.'

'Derbyniaf dy goron,' meddai Efa.

'Bydd rhaid i ti godi dy lais yn uwch na hynna,' meddai ei mam wrthi.

'Mi wna i ar y noson,' meddai Efa yn swta.

Camodd y Frenhines ymlaen ac aeth Efa ar ei gliniau o'i blaen i dderbyn y goron ar ei phen. Teimlai'n drwm ac yn anghyfforddus. Yna gwelodd fod ei mam yn dal ei dwylo allan i'w chynorthwyo yn ôl ar ei thraed. Edrychodd yn hurt arni a chodi heb ei chymorth.

'Na!' hisiodd ei mam. 'Y symboliaeth sy'n bwysig! Cer lawr ar dy liniau a chydia yn fy nwylo i!'

Ufuddhaodd Efa, a gadael i'w mam helpu i'w chodi'n ôl ar ei thraed. Edrychodd yn ddisgwylgar arni, cyn cofio mai ei thro hi oedd hi i siarad.

'Ym… dwi'n… derbyniaf dy wlad, gan ddiolch i ti am y gwasanaeth ffyddlon a roddaist iddi,' meddai.

Yna camodd Morda ymlaen gyda chlustog coch a chyllell arni, cyllell hardd gyda gemau rhuddem coch ar hyd y carn. Y gyllell a oedd wedi cael ei defnyddio yn y seremoni ers cyn cof. Syllodd Efa arni am yn hir cyn cydio ynddi yn araf a'i dal i fyny o'i blaen fel croes.

'Ac yn awr, derbyniaf dy fywyd,' meddai.

'Hir oes i Felania!' canodd y côr.

'Hir oes i Felania!' canodd pawb arall oedd yn yr ymarfer.

Cododd sŵn y côr fel ton ar ôl ton, yn uwch ac yn uwch, a dechreuodd Efa deimlo'n chwil. Roedd y nodau yn ysu, yn mynnu, ac roedd y drymiau'n curo'n rhythmig dawel wrth i'w mam gael ei hebrwng at y Maen Coch. Trodd y Frenhines ei chefn at y maen a dal ei breichiau i fyny er mwyn i'r milwyr gael eu clymu, fel ei choesau, drwy'r tyllau yn y maen. Roedd y drymiau'n curo'n uwch ac yn gyflymach erbyn hyn.

Teimlai Efa ei stumog yn troi.

'Mae'r darn nesa'n hynod bwysig,' meddai Morda wrthi. 'Cerdda ati, yn urddasol, a bydd rhaid i ti ofalu trywanu'n gywir rhag achosi marwolaeth hirach a mwy poenus nag arfer.'

'Dim pwysau, felly,' meddai Efa dan ei gwynt wrth gamu ymlaen.

Dechreuodd y côr ganu i rhythm y drymiau: 'Me-la-ni-a. Me-la-ni-a. Me-la-ni-a!'

Cododd Efa y gyllell yn yr awyr gyda'i dwy law, ac edrych i fyw llygaid ei mam. Edrychodd hithau'n ôl arni heb arwydd o emosiwn. Newidiodd y côr ei sain; trodd y nodau swynol yn un nodyn hir, main ac roedd y drymiau'n fyddarol. Roedden nhw'n mynnu, yn gorfodi.

'Yr ochr dde, cofia,' meddai ei mam.

Hoeliodd Efa ei llygaid ar ochr dde brest ei mam, y man lle roedd ei chalon.

'A dyna pryd y byddi di'n ei thrywanu,' meddai Morda.

'Paid â phoeni, mi fydda i'n gelain o fewn eiliadau – os gwnei di 'nharo i yn y man iawn,' meddai'r Frenhines.

'Mi wna i 'ngorau,' meddai Efa. 'Iawn, gawn ni fynd rŵan?'

Edrychodd y Frenhines ar Morda.

'Ia, iawn, mi fydd hynna'n ddigon am y tro,' meddai hwnnw, gan droi i wynebu pawb arall a gweiddi: 'Dyna ddiwedd yr ymarfer am heno! Hoffwn i weld y côr a'r dawnswyr eto nos Fercher, os gwelwch yn dda!'

Rhoddodd Efa y gyllell yn ôl ar y clustog, a throi ar ei sawdl. Roedd arni angen tŷ bach ar fyrder. Roedd hi'n mynd i daflu i fyny unrhyw funud.

*

Roedd hi'n golchi ei hwyneb yn y sinc farmor pan gerddodd ei mam i mewn ati.

'Mi wnes i'r un peth yn union yn fy ymarfer cyntaf i,' meddai. 'Mi fydd yn haws o hyn allan, dwi'n addo.'

'Os dach chi'n deud,' meddai Efa.

'Mi wnest ti'n dda, yn llawer gwell na fi y tro cynta.'

'A wnaethoch chi anelu'r gyllell yn gywir y tro ola, do? Gafodd Nain farw o fewn eiliadau?'

Edrychodd ei mam arni yn y drych. Roedden nhw mor ofnadwy o debyg.

'Do,' meddai. 'Ac roedd hi'n gwenu arna i, i adael i mi wybod 'mod i wedi gwneud yn iawn. Mi fydda i'n gwneud yr un peth i ti.'

'Gwenu wrth i mi'ch lladd chi!'

'Ia. Ddeudis i'r un peth yn union wrthi hi ar ôl ein hymarfer cynta ni,' meddai ei mam, gan roi ei braich am ysgwyddau ei merch. 'Mi fyddi di'n iawn, ac mi fydda i'n falch iawn ohonot ti. Dwi wastad wedi bod yn falch ohonot ti.'

Sythodd Efa. Roedd hyn yn newydd iddi.

'O ddifri?'

'O ddifri. Ac mae hi'n wir ddrwg gen i am roi'r glatsien 'na i ti. Ro'n i ar fai. Wnei di faddau i mi?'

Ac yn sydyn, roedd y ddwy'n cofleidio. Yn cofleidio'n dynn, dynn, fel y bydden nhw'n arfer ei wneud erstalwm, pan oedd Efa'n blentyn. Cofleidio oedd yn dweud cymaint mwy nag unrhyw eiriau; cofleidio oedd yn llenwi Efa â gwres hyfryd, cynnes. Pan ollyngodd y ddwy ei gilydd, cafodd Efa sioc o weld dagrau yn llygaid ei mam.

'Diolch,' meddai'r Frenhines yn syml. Yna sychodd ei llygaid a rhoi un edrychiad yn y drych, arni hi ei hun ac ar Efa, cyn troi'n urddasol am y drws a gadael.

Safodd Efa yn edrych arni hi ei hun yn y drych am amser hir cyn llwyddo i adael.

*

'Sut aeth yr ymarfer?' holodd Galena wrth iddyn nhw gerdded at yr afon.

'Erchyll,' meddai Efa. 'Dwi mor falch na fydd rhaid i mi fynd drwyddo fo go iawn.'

'Maen nhw wedi dechrau ar y busnes diogelwch

ychwanegol yn barod,' meddai Galena. 'Mae pawb sy'n dod o fewn pum milltir i diroedd y palas yn cael eu harchwilio a'u holi'n dwll. Mi gafodd fy nghyflenwyr bwyd i o Format eu cadw wrth y porth am dros awr bore 'ma.'

'Chwilio am Bicyniaid eto?'

'Mae'n debyg. Ac roedd ganddyn nhw ddiddordeb arbennig yn yr hwyaid gwyrddion.'

'Ond dydy'r rheiny ddim byd tebyg i'r aderyn afiach 'na drodd yn llwch!'

'Faswn i ddim yn gwybod. Welais i mo'no fo.'

'Sori 'mod i'n hwyr!' galwodd Bilen y tu ôl iddyn nhw. 'Wedi bod yn gweithio ar y gwisgoedd ar gyfer y seremoni. Maen nhw'n mynd i fod yn anhygoel.'

'Difaru na chei di eu gweld nhw yn eu gogoniant ar y noson?' meddai Efa.

'Wel, mae 'na ran ohona i'n difaru, dwi'n cyfadde,' meddai Bilen. 'A does gen i ddim llwchyn o awydd gwlychu ac oeri yn yr afon 'ma rŵan chwaith.'

Sythodd Efa.

'Does dim rhaid i ti ddod os nad wyt ti isio,' meddai'n swta.

'I nofio?'

'Naci, ar y daith, sy'n golygu gadael Melania am byth!'

'Efa!' hisiodd Galena. 'Paid â gweiddi!'

Rhowliodd Efa ei llygaid. Roedd y ddwy yn dân ar ei chroen hi heno.

'Iawn, sori, sdim rhaid i ti fod mor bigog,' meddai Bilen mewn llais pwdlyd. 'Wrth gwrs 'mod i isio dod efo chi.'

'Wyt ti? O ddifri? Chawn ni byth ddod yn ôl yma, ti'n sylweddoli hynny.'

'Ydw. Sori. Dwi'n difaru deud dim rŵan.'

'Meddylia cyn agor dy geg – am unwaith!' hisiodd Efa.

'Wooo, aros funud,' meddai Galena, gan stopio'n stond a throi i wynebu Efa. 'Dwi'n gwybod mai ti ydy'n tywysoges ni, Efa, ond dydy hynny ddim yn golygu y cei di drin dy ffrindiau fel'na. Edrycha be ti 'di neud!'

Roedd dagrau yn cronni yn llygaid Bilen a'i gwefus isaf yn crynu. Brathodd Efa ei gwefus a theimlo'i stumog yn corddi eto. Ond roedd y dagrau gwirion yma'n ei chorddi hefyd.

'Mi fydd rhaid i ti fod yn galetach na hyn os wyt ti am ddod i'r Diffeithwch Du, Bilen,' meddai'n flin.

'Efa!' hisiodd Galena. 'Rho'r gorau iddi! Dwi'n gwybod bod yr ymarfer wedi bod yn anodd i ti heno, ond does gen ti ddim hawl i droi dy rwystredigaeth ar Bilen!'

Syllodd Efa ar ei thraed. Gwyddai fod Galena yn llygad ei lle, a'i bod hi wedi trin Bilen yn gwbl annheg.

'Mae'n ddrwg gen i,' meddai. 'Dwi'n hen ast.'

'Wyt. Ond dwi'n derbyn dy ymddiheuriad di,' meddai Bilen, gan sychu ei llygaid. 'A gei di weld pa mor galed ydw i. Felly – ydan ni'n mynd i nofio 'ta be?'

Nodiodd Efa gyda gwên.

'I mewn â chi 'ta…'

12

Bu'n gyfnod prysur. Llwyddodd Bilen a Galena i wella eu sgiliau nofio, er iddi gymryd sbel i Bilen fod yn ddigon cyfforddus i roi ei phen o dan y dŵr yn llwyr. Cafodd Cara wersi dringo gan Dalian, a byddai'n rhedeg am filltiroedd cyn brecwast bob bore. Bu'r tair yn cael gwersi ymladd ar y slei hefyd, a datblygodd Galena i fod yn reslar cryf.

'Bron iddi 'nhagu fi efo'i chluniau neithiwr!' chwarddodd Prad dros frecwast allan yn y gerddi ar fore'r Diwrnod Mawr.

'Mi fyddai hi wedi gwneud hefyd, oni bai i mi sylwi bod ei wyneb o wedi troi'n biws,' meddai Bilen.

'Wel, dwi'n falch na wnest ti, Galena,' meddai Dalian. 'Dwi'm isio bod yr unig ddyn ar y daith 'ma.'

'Sgen ti'n hofn ni neu rywbeth?' chwarddodd Galena.

'Oes, ond parch dwi'n ei alw o,' meddai Dalian. 'Sut mae'r trefniadau bwyd? Pob dim yn ei le?'

'Ydy,' meddai Galena. 'Ac mae Bilen a fi wedi pacio'r bagiau i gyd efo bob dim roist ti ac Efa i ni.'

'Ydyn nhw'n drwm?' gofynnodd Cara. 'Mi liciwn i ychwanegu llyfr neu ddau at fy mag i.'

'Dydyn nhw ddim yn ysgafn, felly gwnân nhw'n llyfrau ysgafn, tenau,' meddai Galena. 'Ges i ddigon o drafferth perswadio Bilen na fyddai hi angen yr holl golur a gwafant a stwff gwallt roedd hi wedi bwriadu eu rhoi i mewn.'

'Ond mae'r holl lwch o'r llosgfynyddoedd yn mynd i ddifetha 'ngwallt i...' meddai Bilen yn bwdlyd.

'Gwisga gap,' meddai Dalian.

'Dwi'n mynd i dorri 'ngwallt i,' meddai Efa.

'Be? Soniaist ti ddim wrtha i!' meddai Bilen mewn braw.

'Newydd benderfynu ydw i. Ac mae gen i ddau reswm dros wneud: un – mi fydd yn haws ei drin; dau – fydda i ddim mor hawdd fy nabod wrth i ni ddianc.'

'Iawn, mi wna i ei dorri i ti yn syth ar ôl yr ymarfer,' meddai Bilen. 'Jyst o dan yr ysgwydd?'

'Naci, torra fo'n fyr.'

'Yn fyr? Na wnaf, wna i ddim! Y gwallt hyfryd 'na?'

'Mi wna i o fy hun 'ta.'

'Paid ti â meiddio!'

'Ga' i gynnig rhywbeth?' meddai Cara. 'Be am i ti wisgo cap, Efa? Mi allai dy wallt di fod yn ddefnyddiol yn nes ymlaen.'

'Yn ddefnyddiol ar gyfer be? Dydy o'n ddim byd ond niwsans!' meddai Efa.

'Wnei di jyst derbyn fy ngair i am rŵan?' meddai Cara. 'Clyma fo'n ôl a gwisga gap – os gweli di'n dda. Rŵan, Dalian, wyt ti wedi trefnu'r ceffylau?'

'Do. Mi fydd chwech yn barod ar y traeth wrth iddi nosi. Dwi'n gwybod y bydd yn fwy o daith i gychwyn o'r traeth ond fiw i ni fynd drwy'r Porth Mawr; mae'r lle'n berwi efo Gwarchodwyr. Fi roddodd nhw yno. Doedd gen i ddim dewis, a Morda'n anadlu i lawr fy ngwar i'n dragwyddol.'

'Ar y gair,' sibrydodd Cara. 'Morda...'

'Bore da,' meddai llais dwfn Morda wrth iddo gerdded i lawr o'r palas atyn nhw. 'Lle braf i frecwasta...'

'Ydy, mae o,' meddai Efa.

'Rydach chi wedi mynd yn griw... agos iawn,' meddai Morda, gan eu hastudio fesul un. 'Gyda'ch gilydd bob cyfle gewch chi.'

'Dyna mae ffrindiau'n tueddu i'w neud,' meddai Efa. 'A dyma fy ffrindiau gorau i ers fy mhlentyndod.'

'Ie... dewis diddorol o ffrindiau i ddarpar frenhines,' meddai Morda. 'Tylinydd, tiwtor, dau filwr a chogydd.'

'Ie, a dwi'n falch o bob un ohonyn nhw,' meddai Efa, gan sythu ac edrych i fyw ei lygaid. 'Mi ges fy magu yma yn y palas efo Galena, ro'n i'n cael gwersi dawnsio efo Bilen, gwersi ymladd efo Prad a Dalian, ac mae Cara wedi bod yn fy helpu efo fy ngwaith academaidd ers iddi brofi yn dair ar ddeg oed ei bod hi'n gwybod mwy na fy nhiwtoriaid i.'

'Cofio hynny'n iawn,' meddai Morda. 'A diddorol ydy'r ffaith eich bod chi i gyd yn rhannu'r un diddordebau corfforol erbyn hyn – rhedeg ben bore, nofio gyda'r nosau... Ydach chi'n paratoi ar gyfer rhyw gystadleuaeth tîm nad ydw i wedi clywed amdani?'

Chwarddodd pawb fymryn yn rhy uchel.

'Na, dim ond ceisio cadw'n heini,' meddai Efa. 'Mi fydd rhaid iddyn nhw fod ar flaenau eu traed pan fydda i'n frenhines, wedi'r cwbl.'

'O, yn sicr,' cytunodd Morda gyda gwên dynn. 'Mi fyddwn

ni i gyd ar flaenau ein traed. Wel, dydd da i chi. Welwn ni chi yn yr ymarfer terfynol heno, dwi'n siŵr.'

Gwyliodd pawb ei gefn main yn dychwelyd i fyny at y palas.

'Does gan y dyn yna ddim ysgwyddau,' meddai Prad.

'Ti'n iawn, mae'n f'atgoffa i o lun welais i yn yr hen lyfrau o ryw greadur o'r enw udflaidd,' meddai Cara. 'Roedd o fel croes rhwng ci a llygoden fawr, efo cefn crwm a dim ysgwyddau. "Hyena" oedd enw arall arno, os cofia i'n iawn.'

'Efallai fod Morda'n un o'u disgynyddion nhw,' meddai Bilen. 'Mae'r dyn yn troi arna i fwy ac yn fwy bob dydd.'

'Mae o wedi bod yn ein gwylio ni fel barcud,' meddai Efa. 'Dalian? Wyt ti'n meddwl ei fod o'n amau?'

'Mae Morda'n amau pawb a phopeth, felly ydy, debyg.'

'Ydy hi'n rhy beryglus i ni ddal ati efo'r cynllun 'ta?' gofynnodd Efa.

'Efa, mae'r cynllun yn un peryglus o'r cychwyn,' meddai Dalian. 'Wyt ti'n ystyried tynnu'n ôl?'

Trodd pawb i syllu ar Efa. Teimlai ei cheg yn troi'n sych. Caeodd ei llygaid i gael canolbwyntio ar yr hyn oedd yn chwyrlïo drwy ei meddwl. Yna agorodd ei llygaid eto.

'Ylwch, does… os… Dwi jyst ddim isio'ch rhoi chi i gyd mewn perygl,' meddai.

Edrychodd y lleill ar ei gilydd.

'Efa, gwranda,' meddai Bilen, gan gydio yn ei dwylo, 'mae pob un ohonon ni'n gwybod yn iawn pa mor beryglus ydy hyn ers y dechrau un. Ac rydan ni wedi cynllunio bob dim mor ofalus, does gan Morda ddim gobaith o'n dal ni – nag oes, Prad?'

'Nag oes,' meddai Prad, gan groesi ei fysedd o'r golwg y tu ôl i'w gefn.

'Yn bersonol,' meddai Cara, 'mi fyddwn i'n siomedig iawn tasen ni ddim yn rhoi cynnig arni. Dwi'n edrych ymlaen a dwi wir isio gweld sut fyd sydd y tu allan i Felania.'

'Ac os wyt ti'n tynnu'n ôl, mi fydd rhaid i ti ladd dy fam – nos fory,' meddai Galena. 'Wyt ti'n barod i wneud hynny?'

Ysgydwodd Efa ei phen, yna codi ei hysgwyddau.

'Iawn, ymlaen efo'r cynllun felly,' meddai gyda gwên, 'a ga' i jyst deud: diolch. I chi i gyd. Dwi'n gwybod 'mod i'n gallu bod yn hen ast a bod angen amynedd y duwiesau i gyd efo fi weithiau, ond – dwi'n meddwl y byd ohonoch chi i gyd, a be bynnag fydd yn digwydd, dwi wedi mwynhau bob eiliad o'r paratoi 'ma efo chi. Dwi wedi teimlo'n fwy byw dros y tri mis diwetha yma na wnes i rioed. Dwi'n teimlo 'mod i isio'ch cofleidio chi i gyd rŵan, fan hyn, ond rhag ofn bod Morda yn dal i'n gwylio ni, wna i ddim.'

'Call iawn,' meddai Dalian, oedd yn amlwg wedi mynd i deimlo'n anghyfforddus. Cododd ar ei draed. 'Gorfod mynd rŵan, ddrwg gen i. Felly, heno – y traeth, wrth iddi nosi. Peidiwch â bod yn hwyr!'

'Dydy o ddim yn gallu delio'n dda iawn efo stwff emosiynol, nac'di?' gwenodd Bilen wedi iddo fynd.

*

Aeth pob dim yn berffaith yn yr ymarfer olaf un: pawb yn ei le, pob dim ar amser, pob symudiad yn plesio, a bron na wnaeth Efa ei fwynhau. Roedd y drymio, y dawnsio a'r canu yn codi'r blew ar gefn ei gwar a, rywsut, gallai syllu i lygaid ei mam a mynd drwy'r symudiadau gyda'r gyllell heb deimlo'n sâl.

Wrth wrando arni'n llefaru'r geiriau mor glir a hyderus, syllai ci mam yn ôl arni gyda sglein amlwg yn ei llygaid. Roedd hi wedi bod mor siŵr y byddai Efa'n profi ei hun i fod yn wir frenhines yn y diwedd, a dyma hi, yn disgleirio, yn serennu. Byddai'n gallu gadael y byd hwn gyda balchder, yn sicr o ddyfodol diogel a llwyddiannus i Felania.

Gan fod pob dim wedi mynd cystal, roedd Efa wedi disgwyl cael gadael yn gynharach nag arfer, ond na, gofynnodd Morda am gael gair â phrif aelodau'r seremoni ar y diwedd.

'Dim ond i fynd drwy bob dim efo crib fân,' meddai. 'Sicrhau eich bod yn gwybod yr amserlen i'r eiliad, a gofalu eich bod yn gwybod beth i'w wneud a lle i fynd ar ddiwedd y seremoni ei hun. A beth fydd yn digwydd i'ch corff chi, Frenhines.'

'Fydda i ddim yn poeni erbyn hynny, Morda!' chwarddodd y Frenhines, oedd wedi bod yn chwerthin lawer mwy nag arfer drwy'r dydd.

'Ond ro'n i am eich sicrhau y byddwn yn dal i'ch trin gyda'r parch a'r urddas mwyaf,' meddai Morda.

'Wrth gwrs, dwi'n disgwyl dim llai,' meddai'r Frenhines. 'Ond dwi'n gwybod yn iawn be fydd yn digwydd: mi fyddwch chi'n tynnu croen fy mhen i i gadw 'ngwallt ar gyfer yr oesoedd a ddêl, yn tynnu fy nghalon a fy ymennydd allan a'u rhoi mewn poteli o ryw hylif piclo, ac yn llosgi'r gweddill ohona i dros nos mewn anferth o goelcerth, yn union fel y gwnaethoch chi efo Mam.'

'Ac wedyn yn taenu'r llwch dros erddi'r palas,' ychwanegodd Efa. 'Fel bod eich corff yn rhan o'r pridd a'r planhigion. Fel y bydda i ymhen blynyddoedd.'

'Yn hollol,' meddai Morda. 'Ond ro'n i am newid lleoliad y llosgi y tro hwn, os ca' i – beth am ar y traeth?'

'Ar y traeth? Ie! Syniad hyfryd,' meddai'r Frenhines. 'Yn tydy, Efa?'

'Be sy o'i le efo'r pant llosgi arferol?' gofynnodd Efa, gan geisio'i gorau i beidio â dangos ei bod wedi cyffroi drwyddi. Byddai coelcerth ar y traeth yn golygu y byddai gweithwyr yn ei hadeiladu yno ymlaen llaw – heno, mae'n siŵr.

'Dim,' meddai Morda. 'Dim ond cynnig lleoliad newydd fel arwydd neu symbol bychan o'r pethau newydd y byddwch chi'n siŵr o fod eisiau eu gwneud yn ystod eich teyrnasiad, Dywysoges.'

'Diolch, Morda,' ceisiodd Efa wenu. Doedd fiw iddi brotestio gormod – roedd o'n ei hastudio hi'n llawer rhy fanwl i hynny. 'Iawn, ar y traeth amdani,' meddai, 'ond ga' i gynnig y dylid codi'r goelcerth ar ochr orllewinol y traeth, wrth ymyl y graig wen, sydd wedi bod yn un o hoff leoedd Mam erioed?'

'Cytuno!' chwarddodd y Frenhines. 'Mi fyddai fan'no yn lle delfrydol. Diolch am f'atgoffa o'r graig wen, Efa. Dwi ddim wedi bod yno erstalwm. A deud y gwir, dwi'n meddwl a' i am dro yno. Ddoi di efo fi, Efa? Am y tro olaf?'

Suddodd calon Efa, ond llwyddodd i wenu.

'Gwnaf, siŵr!' meddai.

*

Roedd hi'n hwyr erbyn iddi gael gair tawel yng nghlust Dalian.

'O'r badell i'r tân...' meddai hwnnw. 'Anffodus. Ond dydy hi ddim yn ddiwedd y byd. Mi wnawn ni ddal ati efo'r cynlluniau, ond bydd rhaid i'r lleill gario dy fag a dy ddillad di. Mi wnawn ni aros amdanat ti heibio'r trwyn, ond gofala dy fod yn ffarwelio efo dy fam cyn i'r llanw droi.'

'Ond bydd arna i angen esgus o ryw fath i ddiflannu i'r nos!'

Cododd Dalian ael dywyll arni.

'Isio gweld dy gariad?'

'Fy nghariad? Ond does gen i ddim – o! Sori. Felly, gallwn i wneud iddi feddwl mai ti ydy o,' meddai Efa, gan geisio swnio'n ddi-hid.

'Neu Prad,' meddai Dalian, yr un mor ddi-hid. 'Os bydd hi'n fwy tebygol o gredu hynny. Gan ei fod o mor olygus.'

'Wel ia. Mae hynny,' meddai Efa, gan grychu ei thrwyn, yn flin efo hi ei hun yn syth ar ôl agor ei cheg. 'Na, ti,' meddai'n frysiog. 'Mae hi'n fwy tebygol o gredu mai ti ydy o. Iawn, dyna wna i. Wela i di... nes mlaen felly.'

'Nes mlaen,' meddai Dalian, gan bwyso yn ei flaen a rhoi

cusan iddi – ar ei gwefusau. Edrychodd Efa arno'n hurt, a'i gwefusau'n dal i dincian.

Pwysodd Dalian yn ei flaen eto, i sibrwd yn ei chlust: 'Wneith o ddim drwg i hadu'r stori "cariad" ymlaen llaw... hwyl!'

Safodd Efa yn ei hunfan am yn hir, a'i gwefusau'n teimlo fel pe bai teulu o forgrug yn dawnsio arnyn nhw.

*

Roedd yr awyr yn oren a'r creigiau ger y trwyn yn disgleirio'n aur wrth i'r criw guddio yn y twyni. Gallent weld cysgod tywyll Dalian yn aros amdanyn nhw gyda chwe cheffyl, ond doedd dim golwg o Efa.

'Mae'n siŵr ei bod hi'n dal wrth y graig wen,' meddai Galena. 'Maen nhw wrthi'n codi'r goelcerth draw yna, sbïwch.'

'Iawn, awn ni draw at Dalian,' meddai Prad, 'a chadw tu ôl i'r twyni gymaint fedrwn ni. Dowch.'

Wedi iddyn nhw rannu a chlymu'r bagiau yn ddiogel ar y cyfrwyau, dringodd pawb ar gefn eu ceffylau a throi i edrych i gyfeiriad y graig wen. Gallent weld bod y goelcerth yn ei lle, a'r gweithwyr wedi gadael. Ond doedd dim golwg o Efa a'i mam. Edrychodd Dalian yn boenus ar y tonnau. Roedden nhw'n dod yn nes.

'Mae'r llanw'n troi,' meddai, 'felly, a' i draw yno efo ceffyl Efa. Tynnwch ei bagiau hi a fi i ffwrdd rhag i'w mam amau.'

Yr eiliad y tynnwyd y bagiau, pwysodd ei sodlau yn ysgafn

i gnawd ei geffyl, a dechrau trotian yn hamddenol ar draws y tywod gyda ffrwynau Gwiblen, caseg Efa, yn ei law dde.

'Rhamantus, yndê?' meddai Bilen wrth wylio'r cysgodlun du o ddyn ifanc a dau geffyl hardd yn erbyn yr awyr oren ac aur. 'Dyn yn mynd â'i gariad i garlamu drwy'r tonnau...'

'Carlamu drwy'r tonnau fyddwn ni yn llythrennol os na ddaw hi i'r golwg toc,' meddai Prad.

Roedd Efa wedi bod yn gwneud ei gorau i beidio ag ymddangos yn ddiamynedd, ond roedd ei mam yn mynnu hel atgofion am y gorffennol a chyffwrdd y graig – ac Efa – yn dragwyddol. Dyma eu noson olaf gyda'i gilydd, wedi'r cwbl, ac roedd Efa'n falch ei bod wedi cael y cyfle i dreulio amser gyda hi yma, fel hyn. Ond roedd hi'n boenus o ymwybodol bod y lleill yn disgwyl amdani wrth y creigiau draw yn y pellter.

'Mam,' meddai, 'ylwch, mae'n ddrwg gen i, ond mi fydd rhaid i mi fynd toc, dwi wedi addo... cyfarfod rhywun.'

'Be? Heno? Pwy?'

'Fy... nghariad i.'

'Mae gen ti gariad?'

Nodiodd Efa ei phen a cheisio gwenu'n swil.

'Cariad... wel, dwi'n falch iawn,' meddai'r Frenhines, gan gyffwrdd boch lyfn ei merch yn gariadus â blaenau ei bysedd. 'Ydy o'n un y byddi di'n ystyried cenhedlu ag o pan ddaw'r amser?'

'Siŵr o fod,' meddai Efa. 'Mi... ym... mi ddylai'n plentyn ni fod yn reit... iach a chryf.'

'Dwi'n cael gwybod pwy ydy o?'

'Dalian,' meddai Efa, gan deimlo ei bochau'n llosgi.

'Dalian! O! Dewis da, os ga' i ddeud. Ia, mi ddylech chi allu creu plentyn o safon uchel,' chwarddodd ei mam. 'Ble wyt ti am ei gyfarfod o?'

'Fan hyn, ar y traeth. Roedden ni'n gobeithio marchogaeth drwy'r tonnau.'

'Rhamantus iawn! Aros eiliad… ai fo sy'n dod aton ni draw fan acw?'

Trodd Efa. Ie. Fo oedd o, yn gysgodlun trawiadol, cyhyrog ar gefn ei geffyl. Teimlodd ei stumog yn mynd din dros ben.

'Gwell i mi fynd, Mam. A diolch. Am bob dim.'

'Aros, cha' i ddim sgwrs fach efo fo?'

'O, plis, Mam. Mi fyddai'n well gen i tasech chi ddim…'

Chwarddodd ei mam. Roedd hi'n cofio bod yn ei harddegau yn iawn, ac yn deall i'r dim. Doedd dim byd gwaeth na chlywed mam yn ceisio 'sgwrsio' gyda'r cariad cyntaf. Câi gyfle i gael gair gydag o yfory ryw ben, cyn y seremoni.

'Iawn, mwynha dy hun,' meddai. 'Ond paid â gwneud dim byd gwirion – a phaid â bod allan yn rhy hwyr. Mae gen ti ddiwrnod mawr o dy flaen fory, cofia.'

'Chitha hefyd, Mam…'

'O, dwi'n hapus i fynd 'sti, rŵan 'mod i'n gwybod y bydd Melania mewn dwylo diogel.'

Ceisiodd Efa wenu, ond wrth iddi redeg i gyfarfod Dalian roedd ei chalon yn gwaedu.

*

'O'r diwedd!' meddai Prad wrth i Efa a Dalian gyrraedd y

trwyn. 'Cael a chael fydd hi i gyrraedd pen draw'r traeth heb wlychu rŵan.'

Carlamodd y criw fel y gwynt ar hyd y milltiroedd o dywod, a edrychai'n biws erbyn hyn. Roedd y palas uwch eu pennau, ymhell uwchlaw'r creigiau serth a redai bob cam at ben dwyreiniol y traeth.

Allai Cara ddim peidio â gwichian mewn pleser wrth deimlo'r gwynt ar ei hwyneb. Doedd hi erioed wedi torri rheol o unrhyw fath yn ei byw – tan rŵan!

Cadw golwg ar y tonnau roedd Dalian; roedd lled y traeth yn culhau'n gyflym.

Gyda milltir i fynd, roedd y tonnau'n cusanu carnau'r ceffylau. Gyda hanner milltir i fynd, roedd ambell don yn cusanu traed y marchogion. Ond gallai Dalian anadlu: bydden nhw'n cyrraedd y llwybr bychan drwy'r creigiau mewn pryd, diolch i'r nefoedd.

Doedd dim golwg o unrhyw un wrth i'r ceffylau droedio'n ofalus i fyny'r llwybr cul, ac o'r diwedd roedden nhw ar y gwastatir, yn anelu am Fryniau Drycin.

Trodd Efa i edrych dros ei hysgwydd. Gallai weld tyrau'r palas yn ddu yn erbyn yr awyr lliw indigo, ac ambell smotyn o olau melyn yn dangos bod rhai'n dal yn effro. Ei mam, efallai.

'Maddeuwch i mi, Mam,' sibrydodd, cyn troi'n ôl i ganolbwyntio ar garlamu ar ôl y gweddill.

Disgleiriai'r bryniau siâp peli yn arian yng ngolau'r lleuad wrth i'r ceffylau wau eu ffordd ar hyd y llwybrau igam-ogam, ond doedd dim amser i ryfeddu y tro hwn. Cafodd Dalian ei demtio i ofyn a oedd pawb yn iawn, ond feiddiai o ddim galw allan – rhag ofn. Roedd pawb i'w gweld yn marchogaeth yn gyfforddus, hyd yn oed Cara a Galena. Ond roedden nhw'n amlwg yn hynod falch pan gododd Prad ei law i ddynodi eu bod yn stopio.

'Cyfle i'r ceffylau gael diod a hoe fach,' meddai Prad wrth bwyntio at nant yn disgleirio'n arian yn y glaswellt. 'Ac i ni gael ystwytho'n coesau.'

Roedden nhw wedi bod yn teithio ers teirawr dda. Ac roedd o leiaf dair awr arall o'u blaenau cyn cyrraedd Porth Oer.

O'r diwedd roedden nhw ar y penrhyn cul lle roedd y gwynt wedi eu brathu i'r asgwrn ddeufis ynghynt. Ac roedd yr un mor greulon yn awr, yn oriau mân y bore, ond doedd dim niwl, gyda lwc. Gallent weld llinyn hir, du o fynyddoedd pigog, anghroesawgar y Diffeithwch Du yn y pellter.

'Mi fydd rhaid i ni osgoi'r dref ei hun,' meddai Dalian, 'a mynd ar hyd y traeth o'r gogledd. Ffordd yma, dowch,' a cherddodd ei geffyl yn ofalus i lawr y bryn i'r chwith iddo.

Ar wahân i sŵn y tonnau, dim ond clincian mastiau cychod oedd i'w glywed wrth iddyn nhw nesáu at draeth dwyreiniol Porth Oer.

'Ro'n i'n meddwl bod y llanw i fod allan er mwyn i ni groesi?' meddai Bilen.

'Mi fydd,' meddai Cara. 'Mae o ar ei ffordd allan rŵan. Mae'r tywod yn wlyb fan hyn.'

'Cyfle am frecwast cynnar tra 'dan ni'n aros, felly,' meddai Galena, gan ddechrau tyrchu drwy'r bag bwyd.

Wrth lenwi eu boliau â ffrwythau a chigoedd oer, gwyliodd

y chwech y tonnau'n pellhau yn rhyfeddol o gyflym yng ngolau'r lleuad lawn.

'Weli di'r cerrig camu?' gofynnodd Prad i Dalian.

'Unrhyw funud rŵan, gobeithio,' meddai Dalian. Ond hanner awr yn ddiweddarach, doedd dim i'w weld.

'Cwestiwn gwirion, mae'n siŵr,' meddai Bilen, 'ond ydy'r ceffylau'n mynd i allu neidio o garreg i garreg?'

'Dim syniad,' meddai Dalian, 'ond rown ni gynnig arni. Os byddan nhw'n methu, bydd raid i ni eu gadael ar ôl.'

'Fan'cw!' meddai Efa. 'Mae 'na rywbeth draw fan'cw!'

Roedd hi'n pwyntio at rywbeth golau yn y dŵr. Brysiodd Dalian a hithau i gael golwg. Ond roedd y siâp golau yn symud...

'Dancia,' meddai Dalian mewn llais isel. 'Morgi Milain.'

'Y pethau sy'n gallu gwneud rhywun yn ddall...' sibrydodd Efa. 'Paid â deud wrth Bilen.' Yna, 'Be ydy hwnna?' meddai, gan bwyntio at rywbeth golau nad oedd yn symud...

Camodd Dalian tuag ato'n ofalus, ac yna ei gyffwrdd yn nerfus gyda'i gleddyf.

'Carreg!' meddai. 'Un fawr, wastad!'

Dringodd pawb yn ôl ar eu ceffylau, a mentrodd Dalian yn gyntaf ar ei stalwyn mawr du. Camodd y stalwyn ar y garreg, a cherdded yn ei flaen. Yna stopiodd ac anogodd Dalian y ceffyl i roi naid fechan. Ufuddhaodd a glanio'n ddidrafferth ar ddarn mawr arall o garreg.

Cododd Dalian ei law i ddangos y dylai'r gweddill ei ddilyn. Bilen aeth nesaf, yna Cara a Galena, a Prad ac Efa yn y cefn. Doedd caseg Cara ddim yn rhy siŵr i ddechrau, ond wrth i'r dŵr fynd yn is gyda'r llanw roedd y cerrig i'w gweld yn glir, a dechreuodd pawb ymlacio a symud ymlaen yn bwyllog.

Ar ôl rhyw ugain munud, edrychodd Efa draw at yr arfordir o'u blaenau. Edrychai'n bell iawn i ffwrdd.

'Mi fydd rhaid i ni fynd yn gyflymach na hyn,' galwodd.

Roedd hi'n ddigon pell o'r lan i fedru galw allan bellach, siawns. Ond yn syth, dechreuodd cŵn gyfarth o strydoedd Porth Oer. Trodd pawb i rythu'n flin arni.

'Wel, mi fydd rhaid i ni fynd yn gyflymach rŵan, Dywysoges...' meddai Prad.

Cyflymodd Dalian yn raddol, rhag dychryn y ceffylau, ac am gyfnod roedd pawb yn mynd yn dda, nes i geffyl Galena lithro a gweryru gan ofn. Y tu ôl iddi, gwrthododd ceffyl Cara symud modfedd. Neidiodd Bilen oddi ar ei cheffyl hi, ei orchymyn i beidio â symud, a cherdded yn ofalus heibio ochr ceffyl Cara, gan wneud synau i'w gysuro. Yna cydiodd yn y ffrwyn a'i dynnu yn ei flaen, wrth iddi neidio i'r garreg nesaf. Bodlonodd y ceffyl wedi hynny a dal i fynd ar ôl Galena. Brysiodd Bilen yn ôl at ei cheffyl ei hun.

'Dwi'n llawn edmygedd,' meddai Prad wrthi'n dawel.

Roedden nhw bellach yng nghanol y sianel, rhwng Melania a'r Diffeithwch Du, ac roedd y llanw mor isel fel bod y cerrig hirion, gwastad, i'w gweld yn glir uwchben y dŵr. Ond roedd y gwynt wedi codi, yn chwipio'r môr yn donnau. Doedd y ceffylau ddim yn hapus, ond roedden nhw'n dal i fynd yn ufudd.

... Nes i rywbeth coch llachar fflachio yn y dŵr o flaen

stalwyn Dalian. Cododd y ceffyl ei garnau blaen i'r awyr mewn braw a bu ond y dim i Dalian ddisgyn o'i gyfrwy.

'Neidr sgarlad!' gwaeddodd Dalian. 'Byddwch yn ofalus!'

Arhosodd pawb yn stond nes i'r fflach hir o sgarlad nofio yn ei blaen i ganol y tonnau.

Trodd Efa i edrych yn ôl at y tir y tu ôl iddi, a difaru.

'Dalian!' gwaeddodd. 'Mae 'na rywun yn ein dilyn ni!'

Trodd pawb i weld bod marchogion wedi dechrau dilyn eu llwybr.

'Gwarchodwyr y Palas!' hisiodd Prad. 'Tân dani!'

Cyflymodd Dalian eto, gan weddïo y byddai pawb yn llwyddo i'w ddilyn yn ddidrafferth o hyn allan.

Ar ôl hanner awr roedd y ceffylau wedi blino'n lân, a'r llanw'n dechrau codi eto.

Wedi ugain munud arall, 'Mae 'ngheffyl i'n dechrau cloffi!' gwaeddodd Cara.

Trodd Efa i weld lle roedd y marchogion, ond roedden nhw, hefyd, yn cael trafferthion. Gallai weld bod un ceffyl yn y dŵr, a'i farchog yn ceisio ei dynnu'n ôl i fyny ar garreg.

Roedd traeth llwyd y Diffeithwch Du yn agosáu, ond roedd y tonnau dros bengliniau'r ceffylau erbyn hyn a'r gofod rhwng y cerrig yn mynd yn fwy. Yn sydyn, baglodd ceffyl Bilen gan syrthio i'r tonnau. Sgrechiodd Bilen, ond llwyddodd i aros yn y cyfrwy.

'Mi wnawn ni nofio draw!' gwaeddodd. ''Dan ni ddim yn bell rŵan!'

Gweddïodd Efa na fyddai'n cyfarfod â chreadur arall yn y dŵr cyn cyrraedd y lan.

Penderfynodd caseg Cara ei bod hithau wedi cael llond bol o neidio ac y byddai'n haws nofio.

'Dal d'afael yn ei mwng hi!' gwaeddodd Prad wrth weld Cara'n mynd i banig.

Roedden nhw mor agos bellach, ond roedd y tonnau'n taro boliau'r ceffylau, a'r cerrig yn fwyfwy anodd eu gweld. Yna sgrechiodd caseg Cara a dechrau symud yn wyllt, mewn panig llwyr.

'Mae 'na rywbeth wedi ei brathu hi!' gwaeddodd Cara. 'Siarc! Mae 'na siarc yn ymosod arnon ni! Efo dannedd fel olwyn!'

O fewn dim, chwipiodd saeth drwy'r awyr. Roedd Efa wedi gweld sglein asgell yr Helicoprion wrth ben ôl y gaseg, ac wedi anelu amdani. Diolch i'r nefoedd, roedd ei hannel yn gywir, a suddodd y siarc a'r saeth dan wyneb y dŵr gan adael rhuban o waed ar ei ôl.

'Mi fydd hynna'n denu mwy ohonyn nhw!' gwaeddodd Prad. 'Brysiwch! Ewch am y traeth fel cathod i gythraul!'

Doedd gan Efa ddim syniad sut y cyrhaeddodd hi'r traeth; roedd y munudau nesaf yn chwalfa o garnau a thonnau a sgrechian a gweiddi. Ond, rywsut, roedd hi a Gwiblen ar y traeth, a Bilen a Galena a'u ceffylau hefyd. Gwelodd stalwyn Dalian ond nid Dalian. Roedd o yn y dŵr, yn tynnu'n wyllt ar ffrwynau caseg Cara, ac roedd Prad a'i geffyl y tu ôl iddyn nhw, yn ceisio helpu'r gaseg yn ei blaen.

O'r diwedd, cyrhaeddodd y tri y lan, a syrthiodd Cara ar y tywod gan wylo fel plentyn.

Trodd Efa i weld lle roedd y Gwarchodwyr arni, a chododd

ei dwylo i'w hwyneb mewn braw. Roedden nhw'n dal yn bell, bell o'r lan ac roedd rhywbeth wedi ymosod arnyn nhw. Gwelodd goes gyfan ceffyl yn cael ei llifio i ffwrdd. Helicoprion. Mwy nag un. Berwai'r môr gyda phennau ceffylau ac esgyll siarcod a gwaed a sgrechian.

Arni hi roedd y bai fod y milwyr yn marw mewn ffordd erchyll, a cheffylau'n sgrechian mewn poen ac ofn.

'Efa!' gwaeddodd Bilen y tu ôl iddi. 'Mae 'na rywbeth yn bod ar Dalian!'

Brysiodd ato a gweld bod ei gorff yn ysgwyd yn wyllt, ei lygaid yn rhowlio yn ei ben, a swigod gwynion yn poeri o'i geg a'i ffroenau.

'Mae 'na rywbeth gwenwynig wedi'i frathu o!' meddai'n syth. Cododd goesau ei drowsus a gweld dau dwll bychan yn diferu gwaed yn ei grimog. 'Neidr sgarlad...' sibrydodd. 'Cara? Wyt ti'n cofio be ddwedodd y pysgotwr?'

'Ydw,' atebodd Cara'n ddagreuol. 'Mi neith y gwenwyn eich parlysu o fewn eiliadau – eich rhewi'n gorn. Ac mae'n gallu lladd.'

'Ond plentyn wnaeth farw, yndê! Mae Dalian yn oedolyn iach, cryf!' meddai Efa, gan daflu ei hun arno i'w rwystro rhag ysgwyd. Ond eiliadau yn ddiweddarach, roedd corff Dalian yn gwbl lonydd.

'Dalian...' wylodd Efa. 'Be dwi wedi'i neud?'

Am restr gyflawn o lyfrau'r Lolfa, mynnwch
gopi am ddim o'n catalog
neu hwyliwch i mewn i'n gwefan

www.ylolfa.com

lle gallwch archebu llyfrau ar-lein.

Talybont Ceredigion Cymru SY24 5HE
ebost ylolfa@ylolfa.com
gwefan www.ylolfa.com
ffôn 01970 832 304
ffacs 832 782

Holwch am bris argraffu!
01970 832 304